Κώστα

Βρυξέλλες, 23. 3. 44

Sky!
my teacher

Jean-Loup Chiflet

Sky! my teacher

COURS D'ANGLAIS (très) PARTICULIER

Illustré par Clab

CARRERE

Conception et réalisation : BOOKMAKER
Maquette couverture et intérieure : Daniel Leprince

Avec la collaboration de Sabine Bossan, Marie Garagnoux, Peter Merritt et William Snow.

Direction technique : 9 bis, rue Montenotte 75017 Paris
Siège social : 27, rue de Surène 75008 Paris

ISBN 2-86804-536-7

SOMMAIRE

Je dédie ce livre

à tous ceux qui m'ont écrit pour m'encourager à faire une suite à Sky my husband ! c'est maintenant chose faite, j'espère qu'ils ne seront pas déçus...

aux nombreux professeurs d'anglais qui se sont manifestés et qui, non contents de montrer qu'ils avaient le sens de l'humour, ont reconnu les vertus pédagogiques indéniables de la méthode « Sky »...

et à San Antonio qui comprendra pourquoi...

AVERTISSEMENT

Pour ceux qui n'auraient pas encore la chance d'être initiés à la méthode « Sky », voici quelques conseils pour tirer un profit maximum de ces cours d'anglais très particulier.

1 — Le principe de traduction « Sky » est très simple : il consiste à traduire une expression ou une phrase française par un mot à mot anglais plus qu'approximatif (et c'est un euphémisme !) pour obtenir une phrase anglaise qui ne veut strictement rien dire.

Tous les coups sont permis, l'usage de l'argot en particulier, et surtout une parfaite mauvaise foi dans le choix de la traduction d'un mot lorsque plusieurs significations sont possibles.

Exemple : dans l'expression « tour de cochon » traduire le mot « tour » par « tower » et non « trick » est parfaitement scandaleux, mais je le répète délibéré ; que les lecteurs offusqués s'abstiennent donc de m'écrire pour me dire que je me suis trompé.

2 — La grande nouveauté de cet ouvrage par rapport au précédent réside dans le fait que je me suis aussi attaqué aux expressions idiomatiques anglaises pour en donner, lorsque cela était possible, une traduction farfelue en français. Exemple : « a traffic jam » a été traduit par « une confiture de circulation » ce qui, vous en conviendrez, est autrement plus drôle qu'un embouteillage.

3 — Pour sauvegarder le côté éminemment pédagogique de la méthode et pour me faire pardonner par l'Université et par nos amis britanniques, j'ai réussi (non sans mal) et grâce à une équipe de « shadow writers » (écrivains de l'ombre, ou plutôt nègres) à indiquer les traductions correctes des expressions incriminées (sauf dans certains cas tels que les Fables de La Fontaine ou l'histoire de France).

4 — Chaque leçon commence par une énumération (sérieuse) du vocabulaire utile pour la compréhension du cours puis viennent des exercices, des rédactions ou autres divertissements qui permettent de bien assimiler le thème de la leçon.

5 — Un caractère typographique particulier a été utilisé pour bien différencier chaque « langue » :

français : français

anglais : *anglais*

sky (anglais) : ***sky anglais***

sky (français) : **sky français**

et, de plus, tout ce qui est « sky » apparaîtra toujours en rouge.

6 — Enfin on trouvera après les dix leçons un « LEXSKY » où ont été répertoriées les expressions qui n'avaient pu trouver place dans les leçons.

Et comme l'on dit à la fin des lettres :

Regardant en avant pour vous entendre,
Looking forward hearing from you,

Votre plein de foi,
Yours faithfully,

Jean-Loup Chiflet
John Wolf Whistle

La nature

VOCABULAIRE

abeille	*bee*
air	*air*
anguille	*eel*
baleine	*whale*
biche	*doe*
bois	*wood*
castor	*beaver*
cerf	*stag*
chameau	*camel*
champ	*field*
corbeau	*crow*
coucou	*cuckoo*
eau	*water*
feu	*fire*
foin	*hay*
girafe	*giraffe*
goutte	*drop*
grenouille	*frog*
hareng	*herring*
herbe	*grass*
huître	*oyster*
lion	*lion*
loup	*wolf*
mer	*sea*
mouche	*fly*
oiseau	*bird*
ours	*bear*
paille	*straw*
papillon	*butterfly*
poisson	*fish*
rivière	*river*
roche	*rock*
serpent	*snake*
singe	*monkey*
temps	*weather*
terre	*earth*

EXERCICES

Jetez-vous à l'eau !

Marin d'eau douce
Marine of soft water
Landlubber

Clair comme de l'eau de roche
Clear like water of rock
Crystal clear

Eau-forte
Strong-water
Aqua fortis

Cours d'eau
Class of water
River

Les grandes eaux
The large waters
A flood of tears

Rester le bec dans l'eau

To stay the beak in the water

To be stuck for a reply

Se noyer dans un verre d'eau

To drown oneself in a glass of water

To make a mountain out of a molehill

Nager entre deux eaux

To swim between two waters

To sit on the fence

La pêche miraculeuse...

A red herring

Un hareng rouge

Un faux-fuyant

A whale of a story

Une baleine d'une histoire

Une sacrée histoire

The world is his oyster

Le monde est son huître

Le roi n'est pas son cousin

I have other fish to fry

J'ai d'autres poissons à frire

J'ai d'autres chats à fouetter

School of fish
École de poissons
Banc de poissons

Here's a pretty kettle of fish
Voilà une jolie bouilloire de poissons
En voilà une affaire

Et si vous preniez l'air ?

Jeux de plein air
Games of full air
Outdoor games

Avoir grand air
To have big air
To look impressive

Air de famille
Air of family
Family ressemblance

Avoir l'air
To have the air
To look like

Pigeon ? Vole ! Et qui d'autre ?

To have a bee in one's bonnet
Avoir une abeille dans son bonnet
Avoir une idée fixe

To get the bird
Obtenir l'oiseau
Se faire huer

A cuckoo in the nest
Un coucou dans le nid
Un enfant de parents inconnus

To have butterflies in one's stomach

Avoir des papillons dans l'estomac

Avoir l'estomac noué

There's a fly in the ointment

Il y a une mouche dans la pommade

Il y a une ombre au tableau

To make somebody eat crow

Faire manger du corbeau à quelqu'un

Faire rentrer les paroles dans la gorge de quelqu'un

Au feu !

1. En français :

N'y voir que du feu

To see only fire

To be taken in by something

Faire long feu

To make long fire

To fall through

Péter le feu

To fart the fire

To be raring to go

Feux de circulation

Fires of circulation

Traffic lights

Coup de feu

Blow of fire

Shot

Feu le roi

Fire the king

The late king

Avoir le feu sacré

To have the holy fire

To burn with zeal

Mourir à petit feu
To die at little fire
To die by inches

Cuire à feu doux
To cook at soft fire
To cook gently

Il n'y a pas le feu
There is not the fire
There is no hurry

Tout feu, tout flamme
All fire, all flame
Brimming with enthusiasm

Faire la part du feu
To make the part of the fire
To cut one's losses

J'en mettrais ma main au feu
I could put my hand to the fire
I would swear to it

Faire feu de tout bois
To make fire of all wood
To make the most of what one has

Avoir le feu au derrière
To have the fire to the bottom
To have ants in one's pants

2. En anglais :

To be fired
Être incendié
Être viré

Firefly
Mouche de feu
Luciole

To have gone through the fire
Avoir traversé le feu
En avoir vu de dures

To get on like a house on fire
Être comme une maison sur le feu
S'entendre comme larrons en foire

To have been under fire
Avoir été sous le feu
Se faire reprocher

Retour sur terre...

1. En français :

Terre-à-terre
Earth-to-earth
Matter-of-fact

Terre ferme
Firm earth
Terra firma

Terre-plein
Earth-full
Platform

Être sous terre
To be under earth
To be in one's grave

Terre cuite
Cooked earth
Terracotta

2. En anglais :

It has cost the earth
Ça a coûté la terre
Ça a coûté les yeux de la tête

To promise someone the earth
Promettre la terre à quelqu'un
Promettre la lune à quelqu'un

Where on earth have you been?

Où sur terre avez-vous été ?

Où diable étiez-vous ?

Nos amies les bêtes...

1. En français :

Une vieille guenon

An old monkey

An old hag

Quel chameau !

What camel!

What a creep!

Mon gros loup

My big wolf

My darling

Un ours mal léché

A bad licked bear

A big oaf

Une biche aux abois

A doe to the barks

A frightened doe

Payer en monnaie de singe

To pay in money of monkey

To pay in wooden nickels

Peigner la girafe

To comb the giraffe

To waste one's time

2. En anglais :

Bear hug

Étreinte d'ours

Embrassade

A stag party
Une boum de cerfs
Une réunion entre hommes

A bear garden
Un jardin d'ours
Une pétaudière

I'll be a monkey's uncle!
Je serai un oncle de singe !
Ça alors !

Eager beaver
Castor avide
Bourreau de travail

A pride of lions
Une fierté de lions
Une troupe de lions

There's a snake in the grass
Il y a un serpent dans l'herbe
Il y a anguille sous roche

Rédaction :
Racontez vos dernières vacances...

What weather of dog! It falls halberds and it makes a cold of duck. Me that is not a small nature and has a health of thunder, I make me a mountain of sleeping at the beautiful star against winds and tides. It is not yet the sea

to drink. I don't understand drop. My cousin who is ass like the moon but who is not fallen of the last rain has lost the compass and beats me cold since. He doesn't miss of air. He'll see of what wood I warm me, at strength to cut the grass under my foot at all end of field. I am going to make a hay of all the devils...

Quel temps de chien! Il tombe des hallebardes et il fait un froid de canard. Moi qui ne suis pas une petite nature et qui ai une santé du tonnerre, je me fais une montagne de coucher à la belle étoile contre vents et marées. Ce n'est pourtant pas la mer à boire. Je n'y comprends goutte. Mon cousin qui est con comme la lune mais qui n'est pas tombé de la dernière pluie a perdu la boussole et me bat froid depuis. Il ne manque pas d'air. Il va voir de quel bois je me chauffe à force de me couper l'herbe sous le pied à tout bout de champ. Je vais faire un foin de tous les diables...

What lousy weather! It's raining cats and dogs and it's freezing cold. I'm not the snivelling type and I'm in terrific health, but I make a mountain out of a molehill of sleeping outdoors through thick and thin. But it isn't such a big deal. I don't understand anything. My cousin, who doesn't know his ass from his elbow but wasn't born yesterday lost his head and has given me the cold-shoulder ever since. Who does he think he is? I'm going to show him what I'm made of pulling the carpet out from under me like that all the time! I'm going to raise hell...

Dictons :

In April don't discover you of a thread
In May make what pleases you

En avril ne te découvre pas d'un fil
En mai fais ce qu'il te plaît

Christmas at the balcony, Easter at the brands

Noël au balcon, Pâques aux tisons

It rains, it wets
It is the feast to the frog

Il pleut, il mouille,
C'est la fête à la grenouille

Spider of the morning, sorrow
Spider of the evening, hope

Araignée du matin, chagrin
Araignée du soir, espoir

Proverbe :

On n'apprend pas à un vieux singe à faire des grimaces

One doesn't learn to an old monkey to make faces

You can't teach an old dog new tricks

Grenouille de bénitier

Frog of stoop

Church nut

Les animaux de la ferme

VOCABULAIRE

agneau	*lamb*	grenouille	*frog*
bœuf	*beef*	loup	*wolf*
canard	*duck*	oie	*goose*
cheval	*horse*	poule	*hen*
chèvre	*goat*	taureau	*bull*
cochon	*pig*	vache	*cow*
dinde	*turkey*	veau	*calf*

EXERCICES

Les veaux,
vaches, couvées et les autres...

Marcher en canard
To walk in duck
To waddle

Faire un canard
To make a duck
To hit a wrong note

Ma poule
My hen
Honey

Poule de luxe
Hen of luxury
High class prostitute

Souffler comme un bœuf
To blow like a beef
To breathe heavily

Travailler comme un bœuf
To work like a beef
To work like a cart horse

Fort comme un bœuf
Strong as a beef
As strong as a horse

Être à cheval sur
To be at horse on
To be a stickler for

Cheval de retour
Horse of return
Old offender

Cheval de bataille
Horse of battle
Pet subject

Plancher des vaches
Floor of the cows
Terra firma

Mort aux vaches !
Death to the cows!
Down with the pigs!

Les vaches maigres
The thin cows
Lean years

Jouer un tour de cochon
To play a tower of pig
To play a dirty trick

Cochon qui s'en dédit
Pig which does not say it
Cross my heart and hope to die

Cochon de lait
Pig of milk
Piglet

Quel temps de cochon !
What weather of pig!
What lousy weather!

Eh bien, mon cochon !
Well, my pig!
You old devil!

Copains comme cochons

Friends like pigs

As thick as thieves

Prendre un canard dans le café

To take a duck in the coffee

To dip a lump of sugar in your coffee

C'est la poule qui chante qui fait l'œuf

It is the hen which sings which makes the egg

If the shoe fits wear it

Avoir un bœuf sur la langue

To have a beef on the tongue

To keep one's mouth shut

Traduisez
« Le corbeau et le renard » de Jean de La Fontaine

THE CROW AND THE FOX
of
John of the Spring

Master Crow on a tree perched,
Was holding in his beak a cheese
Master Fox, by the smell tempted
To him held to little near this language.
"Hey! good morning Mister of the Crow
That you are pretty! That you me seem handsome!
Without to lie, if your song
Itself refers to your plumage
You are the Phoenix of the hosts of these woods."

To these words the Crow does not smell of joy;
And for to show her beautiful voice,
He opens a large beak, lets fall her prey.
The fox himself seizes of it, and says: "My good Mister,
Learn that all flatterer
Lives to the spends of that him who him hears:
This lesson is worth well a cheese, without doubt."
The Crow ashamed and confused,
Jura (mountains), but a little late, that one wouldn't
Take him of it any more.

Résumez
« Le loup et l'agneau » de Jean de La Fontaine :

The story of the Wolf and the Lamb of John of the Spring shows that the reason of the strongest is always the best and we are going to prove it all at the hour (1)...
A lamb was drinking in the running (2) of a pure wave (3).
A wolf looking for adventure shouts after the lamb who answers:
"Wax (4), that your majesty doesn't put himself in anger. I head (5) still my mother."
And the wolf answers:
"If it is not you, it is then your brother."
And without other shape of process (6) the wolf eats the lamb.

(1) *in a while* ; (2) *in the current* ; (3) *water* ; (4) *Sire* ; (5) *suck* ;
(6) *without further ado.*

Rédaction :
Et si vous nous parliez
des animaux de la campagne ?

That made me goat to read in my duck that he was a true wet hen and that he cried like a calf. It is a tongue of viper which yells as a polecat. He has a character of pig. But let's go back to our sheep: I want to live like a cock in dough and I don't want to be the turkey of the joke in swallowing grass snakes with this horse of return always full like a cow. I have envy to say to this head of mule: "And my ass, it is chicken!" He is not going to make me turn in donkey because we haven't kept the pigs together and I will eat rabid cow when the hens will have teeth.
The conclusion of this story doesn't break three legs to a duck.

Cela m'a rendu chèvre de lire dans mon canard qu'il était une vraie poule mouillée et qu'il pleurait comme un veau. C'est une langue de vipère qui gueule comme un putois. Il a un caractère de cochon. Mais revenons à nos moutons : je veux vivre comme un coq en pâte et je ne veux pas être le dindon de la farce en avalant des couleuvres avec ce cheval de retour toujours plein comme une vache. J'ai envie de dire à cette tête de mule : « Et mon cul, c'est du poulet ! ». Il ne va pas me faire tourner en bourrique car on n'a pas gardé les cochons ensemble et je mangerai de la vache enragée quand les poules auront des dents.
La conclusion de cette histoire ne casse pas trois pattes à un canard.

It drove me crazy to read in my newspaper that he was a real coward and cried his eyes out. He is a sharp tongue who is shouting his head off. He's got a terrible disposition. But let's get back to the subject. I want to live in clover and I don't want to be made a fool of by swallowing a lie with this old offender always drunk as a lord. I'd like to tell this

stubborn person "you bet your sweet ass!". He won't drive me nuts because we never were so personal and I'll go through hard times when the cows come home.
The conclusion to this story isn't worth writing home about.

Le texte suivant ne casse pas non plus trois pattes à un canard, mais attention à ne pas vous laisser piéger...

Stop getting my goat! Let's talk turkey. You are a dead duck... They are going to hit the bull's-eye because you are a sitting duck.
If you keep counting your chickens before they're hatched, playing ducks and drakes with your money and making a pig of yourself, your goose is cooked in two shakes of a lamb's tail because you're no spring chicken.

Arrête de prendre ma chèvre ! Parlons dinde. Tu es un canard mort... Ils vont frapper l'œil du taureau parce que tu es un canard assis. Si tu continues à compter les poulets avant qu'ils soient hachés, à jouer aux canes et aux canards avec ton argent et à faire de toi un cochon, ton oie est cuite en deux secousses d'une queue d'agneau car tu n'es pas un poulet printanier.

Arrête de m'échauffer les oreilles ! Parlons sérieusement. Tu es un homme fini... Ils vont faire mouche car tu es une cible facile. Si tu continues à vendre la peau de l'ours avant de l'avoir tué, à jeter ton argent par les fenêtres et à t'empiffrer, tu es fait comme un rat en deux coups de cuiller à pot car tu n'es plus tout jeune.

Proverbe :

Qui vole un œuf vole un bœuf

Who steals an egg steals an ox

Give him an inch he'll take a mile

Au marché

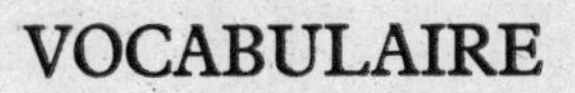

VOCABULAIRE

abricot	*apricot*
artichaut	*artichoke*
asperge	*asparagus*
baie	*berry*
banane	*banana*
blé	*wheat*
branche	*branch*
champ	*field*
chou	*cabbage*
fleur	*flower*
fraise	*strawberry*
haricots	*beans*
noix	*walnut*
oignon	*onion*
pêche	*peach*
pissenlit	*dandelion*
poire	*pear*
pomme	*apple*
pomme de terre	*potato*
prune	*plum*
racine	*root*
radis	*radish*
reine-claude	*greengage*
rose	*rose*
salade	*salad*

EXERCICES

Dites-le avec des fleurs :

A fleur de peau
At flower of skin
On edge

Dans la fleur de l'âge
In the flower of age
In the prime of youth

S'envoyer des fleurs
To send oneself flowers
To blow one's own trumpet

Faire une fleur
To make a flower
To do a favor

Fleur bleue
Blue flower
Romantic

Jeter des fleurs
To throw out flowers
To praise highly

Mignonne, allons voir...

Ça ne sent pas la rose
It doesn't smell the rose
It doesn't smell sweet

Rose des vents
Rose of the winds
Compass card

Rose des sables
Rose of the sands
Gypsum flower

Roman à l'eau de rose
Novel at the water of rose
Penny novelette

Envoyer quelqu'un sur les roses
To send someone on the roses
To send someone packing

Découvrir le pot aux roses
To discover the pot to the roses
To get to the bottom of things

Bonne cueillette !

Blackberry
Baie noire
Mûre

Gooseberry
Baie d'oie
Groseille à maquereau

Strawberry
Baie de paille
Fraise

Raspberry
Baie râpée
Framboise

Devinettes

Quelle différence y a-t-il entre : *a warm potato* et *a hot potato?*

Réponse : *a warm potato* est une pomme de terre chaude et *a hot potato* est une pomme de terre très très chaude...

Non : *a hot potato* est une expression employée pour caractériser un problème épineux.

Si l'on dit de deux personnes qu'elles sont *full of beans*, qu'est-ce que cela signifie ?

Réponse : qu'elles ont trop mangé de haricots.
Non : cela veut dire qu'elles sont pleines d'entrain.

Et si l'on dit que ces deux mêmes personnes sont *as like as beans*, qu'est-ce que cela signifie ?

Réponse : qu'elles ressemblent à des haricots.
Non : qu'elles se ressemblent comme deux gouttes d'eau.

Et si elles *spill the beans*?

Réponse : elles recrachent les haricots qu'elles avaient mangés.
Non : elles mettent les pieds dans le plat.

Donnez en anglais la recette de la confiture de reines-claudes :

***Recipe of the jam of queens-claudes:
Put 1 kg of queens-claudes well walls and 1 kg of sugar exquisite in a saucepan. Make it come back. Carry to boiling point and stop it when the syrup is at the napkin. Put the pots in the bath Mary.
Be careful that for frozen you can get a film on the top.***

Recette de la confiture de reines-claudes :
Mettez 1 kg de reines-claudes bien mûres et 1 kg de sucre raffiné dans une casserole. Faites revenir. Portez à ébullition et arrêtez quand le sirop est à la nappe. Mettez les pots au bain-marie.
Faites attention que pour la gelée vous pouvez obtenir une pellicule sur le dessus.

Recipe for the greengage jam:

*Put 1 kg of very ripe greengages and 1 kg of refined sugar in a pot. Brown it. Bring to the boil and stop it when the syrup is the right consistency. Heat the jars in a double-boiler.
Watch out for film that may form on top of the jelly.*

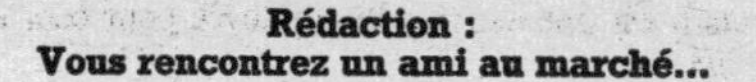

Rédaction :
Vous rencontrez un ami au marché...

Salute, old branch! It makes a salary that I haven't seen you!

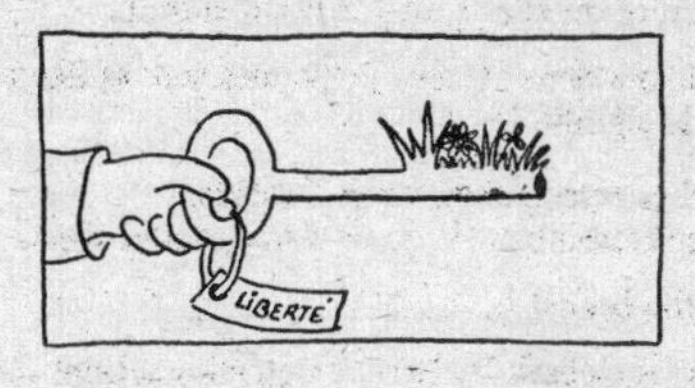

— Like I was reaped like the wheats, I had to take the key of the fields because of an idea at the walnut. A guy who carried the banana and who was high like three apples was in train of cracking his pear so I sent him a peach in full pear, he slid on a skin of banana and of the blow he fell in the apples. At this moment he sugars the strawberries. He has a little friend who works at the market. She's a beautiful plant who doesn't have a radish because she works for plums; one day she decided to come back in the cabbage of a customer.

"Take care of your onions, said she, or it will be the end of the beans. Species of tall asparagus, I am going to make you eat the piss-in-beds by the root if you continue to make salads..."

But like she has a heart of artichoke she decided to cut the pear in two.
This story is beast like cabbage.

Salut, vieille branche ! Ça fait une paye que je ne t'ai pas vu !
— Comme j'étais fauché comme les blés, j'ai dû prendre la clef des champs à cause d'une idée à la noix. Un mec qui portait la banane et qui était haut comme trois pommes était en train de se fendre la poire alors je lui ai envoyé une pêche en pleine poire, il a glissé sur une peau de banane et du coup il est tombé dans les pommes. En ce moment il sucre les fraises. Il a

une petite amie qui travaille au marché. C'est une belle plante qui n'a pas un radis parce qu'elle travaille pour des prunes ; un jour elle a décidé de rentrer dans le chou d'un client.
« Occupe-toi de tes oignons, dit-elle, ou ça va être la fin des haricots. Espèce de grande asperge, je vais te faire manger les pissenlits par la racine, si tu continues à faire des salades... »
Mais comme elle a un cœur d'artichaut, elle a décidé de couper la poire en deux.
Cette histoire est bête comme chou.

Hello, old bean! It's been ages since I last saw you!
— As I was stone broke, I had to beat it because of a lousy idea. A guy with a teddy-boy cut who was knee high to a grasshopper was laughing his head off so I socked him right in the kisser, he slid on a banana skin and passed out. Right now he's having the shakes. He has a girlfriend who works at the market. She's a good looking tomato who is broke because she is working for peanuts; one day she decided to give a customer a hard time.
"Mind your own business or this is going to be the last straw. You

beanpole, I'm going to push you in the daisies if you keep on making trouble..."
But as she is fickle-hearted she decided to split the difference.
This story is as dumb as they come.

Proverbes :

C'est au fruit qu'on reconnaît l'arbre
It is at the fruit that one recognizes the tree
The proof ot the pudding is in the eating

Garder une poire pour la soif
To keep a pear for the thirst
To put by something for a rainy day

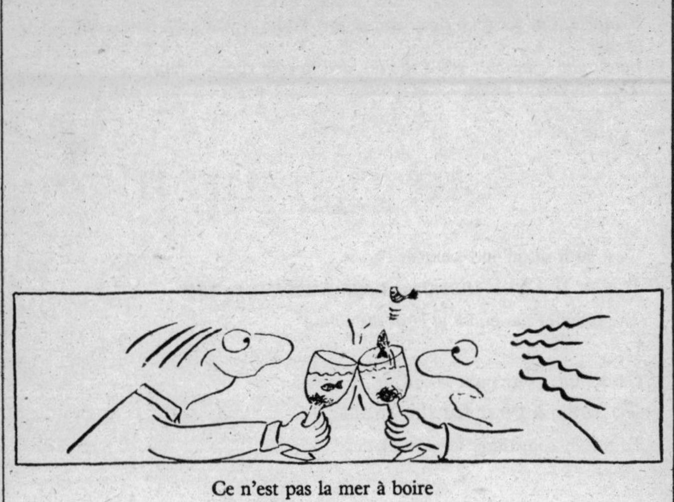

Ce n'est pas la mer à boire

It is not the sea to drink

It is quite easy

Au café et au restaurant

VOCABULAIRE

assiette	*plate*
bacon	*bacon*
beurre	*butter*
bière	*beer*
bol	*bowl*
bœuf	*beef*
boire	*to drink*
boudin	*pudding*
bouteille	*bottle*
café	*coffee*
crabe	*crab*
crémerie	*dairy*
crevette	*shrimp*
cuiller	*spoon*
cuire	*to cook*
épinard	*spinach*
fourchette	*fork*
frites	*chips*
fromage	*cheese*
gâteau	*cake*
lait	*milk*
merlan	*whiting*
moutarde	*mustard*
œuf	*egg*
pain	*bread*
patate	*potato*
petit pois	*peas*
plat	*dish*
poisson	*fish*
porc	*pork*
pot	*pot*
ragoût	*stew*
riz	*rice*
saoul	*drunk*

sel	*salt*	thé	*tea*
soupe	*soup*	verre	*glass*
sucre	*sugar*	vin	*wine*
tarte aux pommes	*apple-pie*	vinaigre	*vinegar*
tasse	*cup*		

EXERCICES

Faites votre beurre !

Il n'a pas inventé le fil à couper le beurre

He hasn't invented the thread to cut the butter

He'll never set the Thames on fire

Compter pour du beurre

To count for butter

To cut no ice

Mettre du beurre dans les épinards

To put butter in the spinach

To get a little gravy

Pas plus que de beurre en branche

Not more than butter in branch

Like a screen door in a submarine

Vouloir le beurre et l'argent du beurre

To want the butter and the money of the butter

To have one's cake and eat it too

Vous êtes en cuisine.
Faites l'inventaire de votre batterie.

Être à ramasser à la petite cuiller

To be to pick up at the little spoon

To be wiped out

Une bonne fourchette

A good fork

A heavy eater

En trois coups de cuiller à pot

In three blows of a spoon to pot

In two shakes of a lamb's tail

Faire tout un plat de

To make a whole dish of

To make a big fuss about

Il n'y va pas avec le dos de la cuiller

He doesn't go there with the back of the spoon

He makes no bones about it

J'en ai ras le bol

I have it short the bowl

I'm fed up

Manquer de bol

To lack bowl

To be unlucky

Faire bouillir la marmite

To make boil the cooking-pot

To earn one's bread and butter

Vous êtes à table.
Qu'allez-vous manger ?

A very rare steak

Un steak très rare

Un steak bleu

To bring home the bacon

Apporter le bacon à la maison

Faire bouillir la marmite

In apple-pie order

Dans l'ordre de la tarte aux pommes

En ordre parfait

The chips are down

Les frites sont en bas

Les jeux sont faits

To eat humble pie

Manger de l'humble tarte

Faire des excuses humiliantes

That takes the cake!

Ça prend le gâteau !

C'est le bouquet !

**Imaginez quelques maximes
en utilisant des expressions ayant trait
à l'alimentation.**

Quand on en a gros sur la patate, il faut faire vinaigre !

When one has it big on the potato, one has to make vinegar!

When you need to get something off your chest, you have to make it snappy!

Quand on prend de la brioche, on se fait engueuler comme du poisson pourri.

When one takes of the brioche, one makes oneself yell at like rotten fish.

If you get a pot-belly, you'll get the dickens.

Quand on a du pain sur la planche, ce n'est pas la peine d'en faire tout un fromage.

When one has bread on the board, it is not the sorrow to make a whole cheese of it.

When you've got your work cut out for you, it isn't worth kicking up a fuss about nothing.

Quand on vous fait des yeux de merlan frit, c'est du tout cuit !

When one makes your eyes of fried whiting, it is of all cooked!

When someone looks at you, like a dying duck in a thunderstorm, it's in the bag!

Quand la moutarde vous monte au nez, allez-vous faire cuire un œuf !

When the mustard goes up to your nose, go make you cook an egg!

When you really get hot under the collar, go fuck a duck!

Un gros plein de soupe doit partir en brioche.

A big full of soup has to leave in brioche.

A big slob has to go to pieces.

Quand on casse du sucre sur le dos de quelqu'un, il faut changer de crémerie.

When one breaks sugar on the back of someone, one has to change of dairy.

When you talk about someone behind his back, you'd do better to push off somewhere else.

Il faut avoir la frite pour cuisiner quelqu'un.

One has to have the chip to cook someone.

One has to be in great shape to give someone the third degree.

Quand ça tourne en eau de boudin, il faut y mettre son grain de sel.

When it turns in water of sausage, one has to put one's grain of salt.

When it's withering on the vine, you have to put your two cents in.

Imaginez
un menu gastronomique :

APÉRITIF

Cheese sofa	Canapé au fromage
Entertain-face	Amuse-gueule

ENTRÉES

Swollen at the shrimps	Soufflé aux crevettes
Shells Holy Jack	Coquilles Saint-Jacques
Eggs calfs	Œufs mollets
Fat liver	Foie gras
Fly-to-wind financial	Vol-au-vent financière
Salad of piss-in-beds	Salade de pissenlits
Net of anchovy	Filet d'anchois
Mouthful at the queen	Bouchée à la reine

POISSONS

Stripe at black butter	Raie au beurre noir
Basket of crabs	Panier de crabes
Turbot at the short-broth	Turbot au court-bouillon

VIANDES

Fat-double at-the-lyonnaise	Gras-double à la Lyonnaise
Beef fashion	Bœuf-mode

Little salted	Petit salé
Pot-to-the-fire	Pot-au-feu
Wrong-net master of hotel	Faux-filet maître d'hôtel
Cutes of pork	Mignons de porc
Beef big salt	Bœuf gros sel
Lamb of milk	Agneau de lait

GARNITURE

Kettledrum of rice	Timbale de riz
Broken peas	Pois cassés
Beans eat-all	Haricots mange-tout
Apples Bridge-New	Pommes Pont-Neuf

FROMAGES

Cow who laughs	Vache qui rit
Harbour-hello	Port-salut
Bridge-the-bishop	Pont-l'évêque

DESSERTS

Little sanded	Petit sablés
Four-fourth	Quatre-quarts
Fart of nun	Pet de nonne
Thousand-sheets	Mille-feuilles
Iced bomb	Bombe glacée
Pear beautiful Ellen	Poire Belle-Hélène
Slipper at the Apples	Chausson aux pommes

VINS

New Castle of the Pope 1983	Châteauneuf du Pape 1983
Sheep Rothschild 1972	Mouton Rothschild 1972
Windmill 1938	Moulin à vent 1938
Ribs of Beaune (big raw)	Côtes de Beaune (grand cru)
White of white	Blanc de blanc
Widow Cliquot 1980	Veuve Cliquot 1980
Waters-of-life	Eaux-de-vie

Vous êtes dans un café.
Décrivez ce que vous voyez
et ce que vous entendez.

Un petit canon

A little cannon

A little glass of wine

Une bière blonde

A blond beer

A glass of ale

Un verre de rouquin

A glass of redhaired

A glass of red wine

A la tienne !

At the yours!

Cheers!

Un grand crème

A large cream

A large cup coffee with cream

Un tord-boyaux

A twist-bowels

Rot gut

Du jus de chaussette

Juice of sock

Watery coffee

Ce n'est pas de la petite bière !

It is not small beer!

It is not small potatoes!

Autour de vous, quelques personnes vous paraissent en état d'ébriété avancée. Comment sont-ils ?

Ils ont un coup dans l'aile

They have a blow in the wing

They are tipsy

Ils sont entre deux vins

They are between two wines

They are lit up

Ils sont beurrés comme des petits Lu

They are buttered like little Lu

They are plastered

Ils sont fin ronds

They are fine round

They are pie-eyed

Ils sont ronds comme des queues de pelle

They are round like tails of shovel

They are dead drunk

Ils sont pleins commes des huîtres

They are full like oysters

They are as drunk as lords

Ces gens sont gais parce qu'ils ont bu des boissons d'origine anglo-saxonne. Lesquelles ?

Une Marie saignante
A Bloody Mary

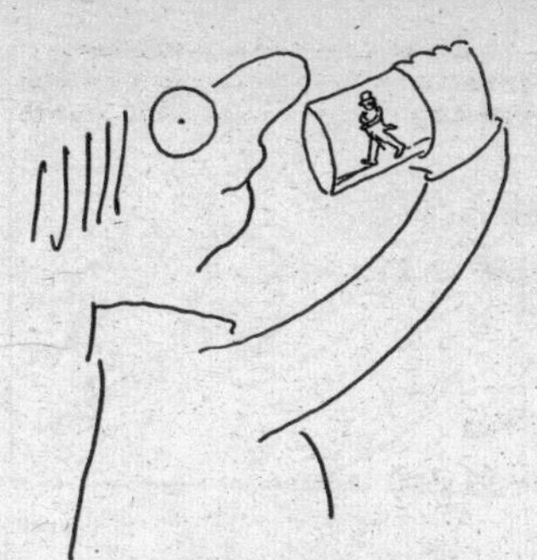

Un Jean marcheur
A Johnny Walker

Un café irlandais
An Irish coffee

Un blanc et noir
A Black and White

Un cheval blanc
A White Horse

Un quatre roses
A Four Roses

Un Écossais sur les rochers
A scotch on the rocks

S'ils sont ronds, ils chantent des chansons à boire.

"It is the little white wine that we drink under the arbour..."

« C'est le petit vin blanc qu'on boit sous la tonnelle... »

"The Madelon comes and helps us to drink..."

« La Madelon vient nous servir à boire... »

"It is to drink, to drink, to drink, it is to drink that we need, oh, oh, oh, oh..."

« C'est à boire, à boire, à boire, c'est à boire qu'il nous faut, oh, oh, oh, oh... »

"Drink a little blow it's agreeable, drink a little blow it's soft..."

« Boire un petit coup c'est agréable, boire un petit coup c'est doux... »

Publicités :

Noodles, noodles, yes but panzanis!

Des pâtes, des pâtes, oui mais des panzanis !

A glass it goes. Two, hello the damages!

Un verre ça va. Deux, bonjour les dégâts.

Proverbes :

Quand le vin est tiré, il faut le boire

When the wine is pulled, you must drink it

It is too late to draw back now

L'appétit vient en mangeant

The appetite comes in eating

The more you eat, the hungrier you get

Ventre affamé n'a point d'oreilles

Stomach starving has no ears

Words are wasted on a starving man

Qui a bu boira

Who has drunk will drink

You can't teach an old dog new tricks

Barbe à papa

Beard to daddy

Cotton candy

Le corps humain

VOCABULAIRE

aiguille	*needle*	doigt	*finger*
barbe	*beard*	dos	*back*
bouche	*mouth*	épaule	*shoulder*
bras	*arm*	étoffe	*material*
chapeau	*hat*	fil	*thread*
chaussure	*shoe*	foie	*liver*
cheveu	*hair*	gant	*glove*
chemise	*shirt*	gorge	*throat*
cœur	*heart*	habit	*outfit*
corps	*body*	jambe	*leg*
coton	*cotton*	langue	*tongue*
cou	*neck*	main	*hand*
coudre	*to sew*	nerf	*nerve*
couture	*sewing*	nez	*nose*
cravate	*tie*	œil	*eye*
cul	*ass*	oreille	*ear*
dent	*tooth*	os	*bone*

pantalon	*trousers*	sabot	*clog*
peau	*skin*	tête	*head*
pied	*foot*	ventre	*stomach*
pouce	*thumb*	visage	*face*

EXERCICES

Expressions corporelles :

1. En français :

Tiré par les cheveux
Pulled by the hair
Farfetched

J'en mettrais ma main au feu
I'd put my hand to the fire
I'd stake my life on it

De pied ferme
Of firm foot
With determination

A tue-tête
At kill-head
At the top of one's lungs

Ça me fait une belle jambe !
It does me a nice leg!
A lot of good that does me!

A bouche que veux-tu
At mouth what want you
Eagerly

Faire des gorges chaudes
To make warm throats
To laugh something to scorn

Faire un bras d'honneur
To make an arm of honor
To make an obscene gesture

Les bras m'en sont tombés
The arms have fallen down from me
I was flabbergasted

Se fourrer le doigt dans l'œil
To put one's finger in the eye
To be kidding oneself

Avoir les yeux plus gros que le ventre
To have the eyes bigger than the stomach
To bite off more than one can chew

Donner sa langue au chat
To give one's tongue to the cat
To give up

2. En anglais :

To pay through the nose
Payer à travers le nez
Payer les yeux de la tête

Strawberry blonde
Fraise blonde
Blond vénitien

A pain in the neck
Une douleur dans le cou
Un casse-pied

By the skin of one's teeth
Par la peau de ses dents
D'un cheveu

My foot!
Mon pied !
Mon œil !

To have cold feet
Avoir les pieds froids
Se dégonfler

To cool one's heels
Se rafraîchir les talons
Poireauter

To pull someone's leg
Tirer la jambe à quelqu'un
Faire marcher quelqu'un

Belly button
Bouton du ventre
Nombril

On the nose
Sur le nez
A l'heure pile

To be all thumbs
Être tout pouces
Être maladroit

To play it by ear
Jouer ça à l'oreille
Improviser

To cost an arm and a leg
Coûter un bras et une jambe
Côuter les yeux de la tête

Wet behind the ears
Mouillé derrière les oreilles
Oie blanche

It was like pulling teeth
C'était comme tirer des dents
Ça a été la croix et la bannière

To have a chip on the shoulder

Avoir une frite sur l'épaule

Être aigri

To twist someone's arm

Tordre le bras de quelqu'un

Tirer l'oreille à quelqu'un

Expressions « au pif » :

Réussir les doigts dans le nez

To succeed the fingers in the nose

To breeze through

Mener quelqu'un par le bout du nez

To lead someone by the end of the nose

To twist someone around one's little finger

Ne pas voir plus loin que le bout de son nez

Not to see farther than the end of one's nose

To lack foresight

Nez à nez avec quelqu'un
Nose to nose with someone
Face to face with someone

Au nez et à la barbe de quelqu'un
At the nose and at the beard of someone
Right before someone's very eyes

Montrez les dents !

Se casser les dents
To break one's teeth
To fail

Avoir la dent dure
To have the tooth hard
To be hard and critical

Avoir la dent
To have the tooth
To be hungry

Avoir les dents longues
To have the long teeth
To be very ambitious

Avoir une dent contre quelqu'un
To have a tooth against someone
To bear a grudge against someone

N'avoir rien à se mettre sous la dent
To have nothing to put under one's tooth
To have nothing to eat

Être sur les dents
To be on the teeth
To be overworked

Imaginez une histoire
mettant en scène vêtements
et soins du corps :

"The outfit doesn't make the monk" and I am going to prove it also dry, well that I am washed and because I am in the polish after having had my hair done

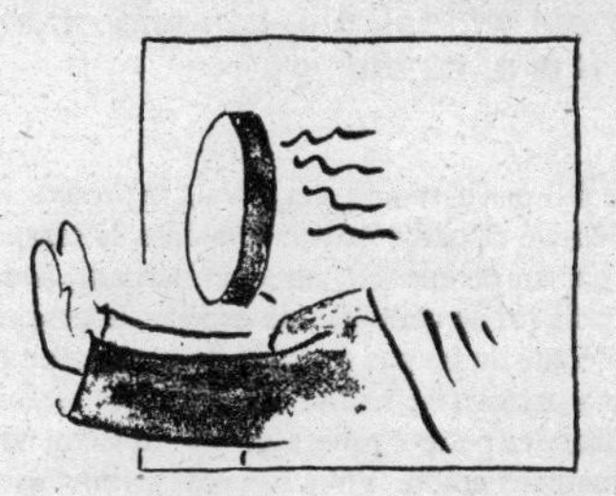

on the pole by a comb-ass, razor and bearding, with a hair on the tongue and not a hair on the pebble, a species of clean to nothing. From thread to needle, I have then decided not to take gloves with this type of whom I don't care like my first shirt after having examined him under all the sewings. He was in his small shoes because he was plugged like the ace of spades and that he spun a bad cotton. You see me come with my big clogs because the continua-

tion of this story comes like a hair on the soup and is a bit drawn by the hair. I know that I am trousered and that I work a little of the hat. I see you laughing in your beard in thinking that all this is sewn of white thread and that I am going to take a panty. You can brush yourself! It is maybe cotton, but I have the material of someone able to give a blow of necklace and before to break me at all pumps now that I am on my thirty-one I am going to throw me one behind the tie. And if I tell you "tomorrow I kidnap the stocking", certain will tell me: hat! and others: to the hair! Me I tell you: it is of clean!

« L'habit ne fait pas le moine » et je vais le prouver aussi sec, bien que je sois lessivé et parce que je suis dans le cirage après m'être fait coiffer au poteau par un peigne-cul, rasoir et barbant, avec un cheveu sur la langue et pas un poil sur le caillou, une espèce de propre à rien. De fil en aiguille j'ai donc décidé de ne pas prendre de gants avec ce type dont je me fiche comme de ma première chemise après l'avoir examiné sous toutes les coutures. Il était dans ses petits souliers car il était fichu comme l'as de pique et qu'il filait un mauvais coton. Vous me voyez venir avec mes gros sabots car la suite de cette histoire vient comme un cheveu sur la soupe et est un peu tirée par les cheveux. Je sais que je suis culotté et que je travaille un peu du chapeau. Je vous vois rire dans votre barbe en pensant que tout cela est cousu de fil blanc et que je vais prendre une culotte. Vous pouvez vous brosser ! C'est peut-être coton mais j'ai l'étoffe de quelqu'un capable de donner un coup de collier et avant de me casser à toute pompe maintenant que je suis sur mon trente et un je vais m'en jeter un derrière la cravate. Et si je vous dis « demain, j'enlève le bas », certains me diront : chapeau ! et d'autres : au poil ! Moi je vous dis : c'est du propre !

"Appearances are deceptive" and I am going to prove it straight away although I am exhausted and because I am in a daze after having been pipped at the post by some boring bald creep with a lisp, a kind of good-for-nothing, crashing bore. One thing led to another and I decided not to mince words with this guy for whom I don't give a hang after having taken a hard look at him. He was feeling awkward because he was dressed like a scarecrow and was in bad shape. You can see what I'm after because the follow-up of this story comes when least needed and is a bit farfetched. I know that I've got a hell of a nerve and that I have a screw loose. I can see you laughing up your sleeve thinking that it's easy to see through it and that I am going to take a beating. Nothing doing! It is maybe tough but I have the makings of someone able to put his back into it and before running like mad now that I am dressed up to the

nines I will throw one down the hatch. And if I tell you: "Tomorrow I take off the bottom", some will say: well done!, and others: great! I say: that's a fine thing!

Rédaction :
vous allez chez le médecin.

Good morning, Doctor !
— It is to what subject?
— I have high the heart and I feel all thing, doctor. I need a remedy of horse to smell myself of attack.
— Really? I hope you have stomach and I don't want to golden you the pill. I find you a dirty head.
— It is true, doctor. Don't move the iron into the wound. I think that my life only holds to a hair because I always turn of the eye and I have the ankles that swell.
— It bursts the eyes that you have the stomach in the heels because you have nothing to put under your tooth. In addition I see that you have a hair on the tongue and a head of six feet long.
— I find that you have the tooth hard and you don't go there with a dead hand. You put my nerves in ball because you imagine you are gone out of the thigh of Jupiter. When I think that I have the feet in stewed apple because I made the foot of crane to see you only because you are the whooping cough of my mother. I should have kicked in the stretchers before. Now I am biting my fingers to have come and seen you. It is really a story without tail or head.
— I see that you have the nerves at flower of skin, so I'm not going to make rounds of legs otherwise you will think that I don't blow myself with the foot. I am going to make feet and hands so that you carry yourself as the New Bridge again, if I don't fall on a bone. I have the arm long and I won't turn my thumbs but it will cost you the eyes of the head.
— I don't want to be a bad tongue but I knew that your consultation would not be at the eye. All right I put the thumbs! But I have the livers...

Bonjour, docteur !
— C'est à quel sujet ?

— J'ai des haut-le-cœur et je me sens tout chose, docteur. J'ai besoin d'un remède de cheval pour me sentir d'attaque.
— Vraiment ? J'espère que vous avez de l'estomac et je ne veux pas vous dorer la pilule. Je vous trouve une sale tête.
— C'est vrai, docteur. Ne remuez pas le fer dans la plaie. Je pense que ma vie tient seulement à un cheveu parce que je tourne toujours de l'œil et que j'ai les chevilles qui enflent.
— Cela crève les yeux que vous avez l'estomac dans les talons parce que vous n'avez rien à vous mettre sous la dent. De plus je vois que vous avez un cheveu sur la langue et une tête de six pieds de long.
— Je trouve que vous avez la dent dure et que vous n'y allez pas de main morte. Vous me mettez les nerfs en pelote parce que vous vous imaginez sorti de la cuisse de Jupiter. Quand je pense que j'ai les pieds en compote parce que j'ai fait le pied de grue pour vous voir uniquement parce que vous êtes la coqueluche de ma mère. J'aurais dû ruer dans les brancards avant. Maintenant je me mords les doigts d'être venu vous voir. C'est vraiment une histoire sans queue ni tête.
— Je vois que vous avez les nerfs à fleur de peau, alors je ne vais pas faire de ronds de jambes sinon vous penserez que je ne me mouche pas du pied. Je vais faire des pieds et des mains pour que vous vous sentiez à nouveau comme le Pont-Neuf, si je ne tombe pas sur un os. J'ai le bras long et je ne vais pas me tourner les pouces mais cela vous coûtera les yeux de la tête.
— Je ne veux pas être mauvaise langue mais je savais que votre consultation ne serait pas à l'œil. D'accord je mets les pouces ! Mais j'ai les foies...

— Good morning, doctor!
— What's the matter?
— I have heaves and I feel funny, doctor. I need some strong medicine to be in tip-top form.
— Really? I hope you have guts and I don't want to sugar the pill for you. I think you look lousy.
— It's true, doctor. Don't rub it in. I think my life only hangs by a thread because I always faint and I'm too big for my breeches.
— It is obvious that you're famished because you have nothing to eat. In addition I see that you have a lisp and that you pull a long face.
— I think that you're hard and critical and you don't play around. You set my nerves on edge because you think a lot of yourself. When I think that I have sore feet because I've been kept waiting to see you just because you're my mother's idol. I should have protested before. Now I regret to have come and seen you. This is really a cock-and-bull story.
— I can see that you're very nervous, so I'm not going to bow and scrape otherwise you will think that I think I'm no small beer. I'm going to move heaven and earth so that you be as fit as a fiddle again, if I don't hit a snag. I have influence and I won't twiddle my thumbs but it will cost you an arm and a leg.

— I don't want to be a gossip but I knew that your consultation wouldn't be free. All right I give in! But I have cold feet...

Devinette

Pinch me and pinch me are in a boat, pinch me falls in the water. Who's in the boat?

Réponse : *Pinch me.*

Un papa gâteau

A daddy cake

A sugar daddy

La douceur du foyer

VOCABULAIRE

ascenseur	*elevator*
balai	*broom*
bébé	*baby*
béton	*concrete*
brosse	*brush*
chat	*cat*
chien	*dog*
cloche	*bell*
clou	*nail*
cour	*yard*
cousin	*cousin*
éponge	*sponge*
frère	*brother*
gond	*hinge*
grand-mère	*grandmother*
lanterne	*lantern*
mariée	*bride*
marraine	*godmother*
mémé	*grandma*
niche	*doghouse*
oncle	*uncle*
papa	*daddy*
père	*father*
petits-enfants	*grandchildren*
pièce	*room*
pigeon	*pigeon*
plâtre	*plaster*
rat	*rat*
rideau	*curtain*
sœur	*sister*
souris	*mouse*
volet	*shutter*

EXERCICES

Imaginez une façon originale d'utiliser quelques prénoms usuels :

1. En français :

Arrête ton char, Ben Hur !
Stop your tank, Ben Hur!
Stop kidding!

A la tienne, Étienne !
At the yours, Steve!
Here's mud in your eye!

Chauffe, Marcel !
Warm it, Marcel!
Get going!

T'as le bonjour d'Alfred
You have the good day of Alfred
Best greetings from Alfred

Tout juste, Auguste !
All fair, August!
You better believe it!

2. En anglais :

Charley-horse
Charley-cheval
Courbature

A peeping Tom
Un Tom qui regarde en douce
Un voyeur

He's a Johnny-come-lately

C'est un Johnny-venu-dernièrement

C'est un blanc-bec

Before one can say Jack Robinson

Avant qu'on puisse dire Jack Robinson

Avant de pouvoir dire ouf !

Familles, je vous aime !

1. En français :

Un faux-frère

A false-brother

A turncoat

Belle-mère

Beautiful mother

Mother-in-law

Un paga gâteau

A daddy cake

A sugar daddy

Cousins à la mode de Bretagne

Cousins at the Brittany fashion

First cousins once removed

Le roi n'est pas son cousin

The king is not his cousin

He thinks he's the cat's whiskers

Faut pas pousser mémé dans les orties

Don't push Grandma in the nettles

Don't overdo it

2. En anglais :

A godmother

Une dieu mère

Une marraine

A stepfather

Un pas père

Un beau-père

To say uncle

Dire oncle

Dire pouce

Baby-sitting

Assis sur le bébé

Baby-sitting

A distant cousin

Un cousin distant

Un cousin éloigné

Grandchildren

Grands enfants

Petits-enfants

A father-in-law

Un père dans la loi

Un beau-père

Don't teach my grandmother to suck eggs

N'apprends pas à ma grand-mère à gober les œufs

On n'apprend pas à un vieux singe à faire des grimaces

To toast the bride

Faire griller la mariée

Porter un toast à la mariée

Vous emménagez dans votre nouvelle maison. Quels sont les problèmes pratiques auxquels vous risquez de vous heurter ?

Être en pièces

To be in rooms

To be smashed up

Tomber en rideau

To fall in curtain

To break down

Passer l'éponge

To pass the sponge

To make a clean sweep of it

Laisse béton !

Leave concrete!

Lay off!

Au bout du rouleau

At the end of the roll

At the end of one's rope

Trié sur le volet

Sorted on the shutter

Carefully selected

Con comme un balai

Stupid as a broom

As dumb as a doorknob

Des clous !

Nails!

Not likely!

Du balai !

Of the broom!

Clear off!

Renvoyer l'ascenseur

To send back the elevator

You scratch my back and I'll scratch yours

N'en jetez plus la cour est pleine

Stop throwing the yard is full

Give it a rest

Prendre des vessies pour des lanternes

To take bladders for lanterns

To pull the wool over someone's eyes

Il y a quelque chose qui cloche

There is something that bells

There's something rotten in Denmark

Essuyer les plâtres

To wipe the plasters

To have the pleasure of breaking in

Un clou chasse l'autre

A nail hunts the other

One man goes and another steps in

Passer la brosse à reluire

To pass the brush to shine

To flatter someone

On n'est pas aux pièces

We are not at the rooms

There's no rush

Être sonné

To be rung

To be cracked

La famille n'est-ce pas aussi le paradis de nos chers petits compagnons domestiques ?

1. En français :

Un petit rat

A small rat

A young ballet dancer

Dormir en chien de fusil
To sleep in dog of gun
To sleep all curled up

Une jolie souris
A pretty mouse
A chick

Sacré nom d'un chien !
Holy name of a dog!
Bloody hell!

C'est un vrai Saint-Bernard
He's a true holy Bernard
He's a good Samaritan

Il n'y avait pas un chat
There wasn't a cat
There wasn't a soul

Appeler un chat un chat
To call a cat a cat
To call a spade a spade

Mettre bas
To put low
To give birth

Un temps de chien
A weather of dog
A lousy weather

Être chien
To be dog
To be mean

Avoir du chien
To have some dog
To be attractive

Un rat de bibliothèque
A rat of library
A bookworm

Avoir un chat dans la gorge

To have a cat in one's throat

To have a frog in one's throat

Nom d'un chien !

Name of a dog!

Darn!

Du pipi de chat

Wee wee of cat

Insipid drink

Garder un chien de sa chienne

To keep a dog of one's dog

To have it in for

Les chiens aboient, la caravane passe

The dogs bark, the caravan passes

Sticks and stones may break my bones but words will never harm me

Se donner un mal de chien

To give oneself a bad of dog

To bend over backwards

Faire la rubrique des chiens écrasés

To make the column of the smashed dogs

To be in charge of the accident column

Être reçu comme un chien dans un jeu de quilles

To be received like a dog in a game of ninepins

To be given a chilly welcome

Donner sa langue au chat

To give one's tongue to the cat

To give up

2. En anglais :

To bell the cat

Sonner le chat

Prendre une initiative

To be in the doghouse

Être dans la niche

Ne pas être en odeur de sainteté

To be going to the dogs

Aller aux chiens

Battre de l'aile

That's the cat's meow

C'est le miaou du chat

C'est super

I smell a rat

Je sens un rat

Il y a anguille sous roche

It rains cats and dogs

Il pleut des chats et des chiens

Il pleut des cordes

To let the cat out of the bag

Laisser sortir le chat du sac

Vendre la mèche

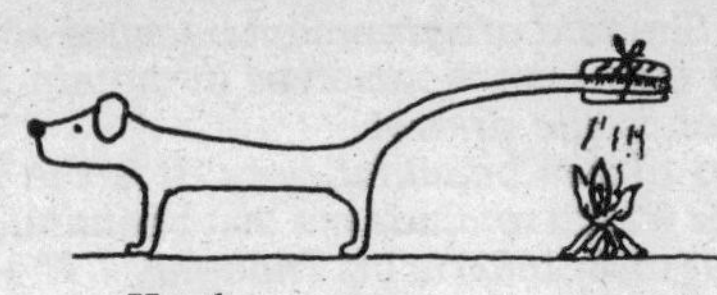

Hot dog

Chien chaud

Saucisse chaude

To set the cat among the pigeons

Mettre le chat au milieu des pigeons

Jeter un pavé dans la mare

To be the general dogsbody

Être le corps de chien général

Être la bonne à tout faire

« L'amour, toujours l'amour ! ».
Si vous l'avez déjà rencontré,
essayez de nous le raconter

This is the story of a girl which was sweet to bite and of a hot rabbit which was very much carried on the thing because he had the blood hot. He was falling them all and every time he had a weak for a girl he was making her some come-inside either in putting his hand at her basket either in making knee to her. In one word he was a runner who was making the lovely heart. But this girl wasn't a white goose because she was a girl of joy who was making the pavement and who was working sometimes in a closed house. She was a beautiful of night who had the thigh light and who was fond of parties of legs in the air. One night our man met the girl in a box of night and he told her : "Come, hen hen, I am going to show you my japa-

nese stamps". She said of agreement because she was bitten of him and they sent themselves in the air. More late she had a Punch in the drawer.
This is the end of this beautiful story. It is the story of a blow of thunder which reminds me that beautiful sentence of Blaise Pascal (1623/1662) in his Thoughts: "The heart has its reasons that the reason doesn't know" or as Voltaire said "The big spirits meet together".

C'est l'histoire d'une fille qui était mignonne à croquer et d'un chaud lapin qui était très porté sur la chose parce qu'il avait le sang chaud. Il les tombait toutes et chaque fois qu'il avait un faible pour une fille il lui faisait du rentre-dedans, soit en lui mettant la main au panier, soit en lui faisant du genou. En un mot, c'était un coureur qui faisait le joli cœur. Mais cette fille n'était pas une oie blanche parce que c'était une fille de joie qui faisait le trottoir et travaillait parfois dans une maison close. C'était une belle de nuit qui avait la cuisse légère et qui aimait bien les parties de jambes en l'air. Une

nuit notre homme rencontra la fille dans une boîte de nuit et il lui dit : « Viens poupoule, je vais te montrer mes estampes japonaises. » Elle dit d'accord parce qu'elle était mordue, et ils s'envoyèrent en l'air. Plus tard elle eut un polichinelle dans le tiroir.

C'est la fin de cette belle histoire. C'est l'histoire d'un coup de foudre qui me rappelle cette belle phrase de Blaise Pascal (1623/1662) dans ses Pensées : « Le cœur a ses raisons que la raison ne connaît pas » ou comme Voltaire l'a dit : « Les grands esprits se rencontrent. »

This is the story of a girl who was a real sweetie and of a horny devil who was hot to trot because he was a sex maniac. He was a real Casanova and each time he had a soft spot for a girl he tried to pick her up either by pinching her bottom or by playing footsie with her. In a word he was a womanizer who was putting on airs and graces. But this girl was no innocent maid. She was a lady of the night who was a streetwalker and sometimes worked in a whorehouse. She was a prostitute who was an easy lay and was fond of rolling in the hay. One night our man met the girl in a night club and he told her: "Come on poopsie, I'm going to show you my etchings." She said O.K. because she was smitten with him and they made it in the hay together. Later on she had a bun in the oven.
That is the end of this beautiful story. This is a story of love at first sight which reminds me of this beautiful sentence of Blaise Pascal (1623/1662) in his Thoughts: "The heart has reasons that reason doesn't know" or as Voltaire said: "Great minds think alike".

Jeu du portrait.
Retrouvez les personnages
célèbres que vous aimez

1. En français :

1 *Marcel Loved*	Georges Bataille
2 *The General Baker*	Raymond Barre
3 *Maurice Knight*	Bernard Pivot

4 *Jack Heart*	Simone de Beauvoir
5 *Bernard Sideboard*	Jacques Prévert
6 *Raymond Rod*	Jacques Cœur
7 *John of the Heather*	Le Général Boulanger
8 *August Light*	Bernard Tapie
9 *Eugen the Doe*	Patrick Poivre d'Arvor
10 *Edith Watercress*	Marie Laforêt
11 *Yves Climbing*	Eugène Labiche
12 *Georges Battle*	Maurice Chevalier
13 *Simone of Nice See*	Auguste Lumière
14 *Patrick Pepper of Arvor*	Jean de La Bruyère
15 *Bernard Axis*	Marcel Aymé
16 *Mary the Forest*	Édith Cresson
17 *Jack Green Meadow*	Yves Montand
18 *Bernard Carpet*	Bernard Buffet

Solution :
1 Marcel Aymé, 2 Le Général Boulanger, 3 Maurice Chevalier, 4 Jacques Cœur, 5 Bernard Buffet, 6 Raymond Barre, 7 Jean de la Bruyère, 8 Auguste Lumière, 9 Eugène Labiche, 10 Édith Cresson, 11 Yves Montand, 12 Georges Bataille, 13 Simone de Beauvoir, 14 Patrick Poivre d'Arvor, 15 Bernard Pivot, 16 Marie Laforêt, 17 Jacques Prévert, 18 Bernard Tapie.

2. En anglais :

1 Francis Jambon Fumé	*Jean Hamburger*
2 Les Pierres qui Roulent	*David Livingstone*
3 Menahem Commence	*Martin Luther King*
4 George Sable	*Laurent Broomhead*
5 Jimmy Charretier	*Louis Armstrong*
6 Louis Brasfort	*Paul Newman*
7 Julien Vert	*Gary Cooper*
8 Les Scarabées	*Jimmy Carter*
9 David Pierre Vivante	*Francis Bacon*
10 Martin Luther Roi	*Elizabeth Taylor*
11 Jean Steak Haché	*The Beatles*
12 Gary Tonnelier	*Benny Goodman*

13 Elizabeth Tailleur — *The Rolling Stones*
14 Paul Homme Neuf — *Menahem Begin*
15 Benny Bonhomme — *Julien Green*
16 Laurent Tête de Balai — *George Sand*

Solution : 1 Francis Bacon, 2 The Rolling Stones, 3 Menahem Begin, 4 George Sand, 5 Jimmy Carter, 6 Louis Armstrong, 7 Julien Green, 8 The Beatles, 9 David Livingstone, 10 Martin Luther King, 11 Jean Hamburger, 12 Gary Cooper, 13 Elizabeth Taylor, 14 Paul Newman, 15 Benny Goodman, 16 Laurent Broomhead.

Proverbes :

Il faut commencer par balayer devant sa porte
One has to start to sweep in front of one's door
People who live in glass houses shouldn't throw stones

Il faut qu'une porte soit ouverte ou fermée
A door has to be open or closed
There can be no middle course

Il ne faut pas réveiller le chat qui dort
You must not wake up the cat who sleeps
Let sleeping dogs lie

A bon chat, bon rat
At good cat, good rat
Tit for tat

Chat échaudé craint l'eau froide
Warmed cat fears cold water
Once bitten twice shy

Et maintenant chantons en chœur...

1, 2, 3, je m'en vais au bois	*1, 2, 3, I'm going to the woods*
4, 5, 6, cueillir des cerises	*4, 5, 6, to pick up cherries*
7, 8, 9, avec mon panier neuf	*7, 8, 9, with my new basket*
10, 11, 12, elles sont toutes rouges	*10, 11, 12, they are all red*

Une souris verte	*A green mouse*
Qui courait dans l'herbe	*Which ran in the grass*
Je l'attrape par la queue	*I catch her by the tail*
Je la montre à ces messieurs	*I show her to these gentlemen*
Ces messieurs me disent	*The gentlemen tell me*
Trempez-la dans l'huile	*Dip her in the oil*
Trempez-la dans l'eau	*Dip her in the water*
Ça fera un escargot tout chaud !	*It will make a snail all warm!*

Il était une fois	*It was one time*
Une marchande de foie	*A liver merchant*
Qui vendait du foie	*Who sold liver*
Dans la ville de Foix	*In the town of Foix*
Elle se dit ma foi	*She said my faith*
C'est la dernière fois	*It is the last time*
Que je vends du foie	*That I sell liver*
Dans la ville de Foix	*In the town of Foix*
Car les gens de Foix	*Because the people of Foix*
N'achètent plus de foie	*Don't buy liver any more*

Histoire de France

VOCABULAIRE

ange	*angel*	enfer	*hell*
artillerie	*artillery*	fusil	*gun*
autel	*altar*	guerre	*war*
balle	*bullet*	messe	*mass*
cavalerie	*cavalry*	pape	*pope*
chrétien	*christian*	poudre	*powder*
diable	*devil*	prêtre	*priest*
dieu	*god*	sacristie	*sacristy*
drapeau	*flag*	tuer	*to shoot*

EXERCICES

Pour servir la France, vous choisissez le dur métier des armes...

1. En français :

C'est de la grosse cavalerie
It is of the big cavalry
It is heavy stuff

Coucher sur la dure
To sleep on the hard
To sleep on the bare ground

En prendre pour son grade
To take some for one's rank
To get a proper dressing-down

Changer son fusil d'épaule
To change one's gun of shoulder
To switch opinions

Une plaisanterie de corps de garde
A joke of body of guard
A locker room joke

A la guerre comme à la guerre
At the war like at the war
All's fair in love and war

Rester sur le qui-vive
To stay on the who-lives
To keep on one's toes

Sous les drapeaux
Under the flags
In the service

Ne pas avoir inventé la poudre

Not to have invented the powder

Not to set the world on fire

Chercher des crosses à quelqu'un

To look for butts at someone

To pick a quarrel with someone

Sortir l'artillerie lourde

To go out the heavy artillery

To take strong measures

2. En anglais :

To shoot a line

Tuer une ligne

Baratiner

Headquarters

Les quartiers de tête

Le quartier général

To bite the bullet

Mordre la balle

Être patient

The Intelligence Service

Le service d'intelligence

Le service de Renseignements

The injured

Les injuriés

Les blessés

Après le Rouge, le Noir.
Vous décidez de rentrer dans les ordres.

1. En français :

Sérieux comme un pape
As serious as a pope
Solemn as a judge

Bête à bon Dieu
Beast at good God
Ladybug

Faire des messes basses
To do low masses
To whisper to each other

Dame patronesse
Lady boss
Patroness

Drôle de paroissien
Funny parishioner
Queer fish

Bouffer du curé
To eat some priest
To be violently anticlerical

Un étouffe-chrétien
A choke-christian
A dry cake

Une punaise de sacristie
A sacristy bug
A church hen

Pince monseigneur
Pinch my lord
Jemmy

Rire aux anges
To laugh at the angels
To have a huge grin on one's face

Tirer le diable par la queue
To pull the devil by the tail
To live from hand to mouth

Du courage, que diable !
Of the courage, what devil!
Cheer up!

Habiter au diable
To live at the devil
To live miles from anywhere

Attendre la Saint-Glinglin

To wait for the Holy-Glinglin

To wait for a month of sundays

Croix de bois, croix de fer (si je mens je vais en enfer)

Cross of wood, cross of iron (if I die I go in hell)

Cross my heart (and hope to die)

Protester comme un beau diable

To protest like a beautiful devil

To protest for all one is worth

2. En anglais :

Speaking of the devil!

Parlant du diable !

Quand on parle du loup...

To raise hell

Soulever l'enfer

Faire du foin

Godspeed!

Vitesse de Dieu !

Bon voyage !

Left at the altar

Laissé à l'autel

Laissé en plan

When hell freezes over

Quand l'enfer gèle

Quand les poules auront des dents

Pope's nose

Nez du pape

Croupion

There will be the devil to pay

Cela sera le diable à payer

Ça va barder

Between the devil and the deep blue sea

Entre le diable et la profonde mer bleue

Entre le marteau et l'enclume

To give the devil his due

Donner au diable son dû

Rendre à César ce qui est à César

Devil-may-care

Le diable peut s'en soucier

Je-m'en-foutiste

To work like the devil

Travailler comme le diable

Travailler comme un fou

As poor as a churchmouse

Aussi pauvre qu'une souris d'église

Pauvre comme Job

The history of France...

The Average-Age starts when the Gaule is invaded by the Ones. But the Gaulois have hunted the Ones from Three (which makes two?).
In 481 the king of the Francs, Clovis, broke a vase in Soissons. Clovis was the king of the French Francs, the Swiss Francs and the Belgian Francs had of course another king. After Clovis there were the lazy kings, one of them, Charles Hammer, who was less lazy than the other ones, stopped the Arabs in Poitiers. His son, Peep-the-Brief, was the father of Charlemagne, himself a very good friend of the Pope, who sacred him Emperor (to thank him Charlemagne created the Pope Club, with king José Artur). After came the cruisades with Godefroy-the-Soup. In France at that time, the peasants were called the "Naughty". And they were obliged to pay a tax called the "size". In 1214, the son of Louis-VI-the-Fat, defeated the English John Groundless and in 1302, Phil-the-Beautiful organized the General States.
In 1428 after John-the-Good, Jane-of-Bow who had heard voices (probably the voice of her master...) delivered Orleans, but was burnt alive by Bishop Pig. Then came Charles-the-Bold, François-the-First and Henry-the-Fourth, very well advised by Michael-of-the-Clinic who organized, the "chick at the pot" every sunday for the French (what was the colour of the white horse of Henry-the-Fourth?: white!!!). In 1610, France was very prosperous with rich people like the famous Jack Heart. In 1624, after the Cardinal of Richplace, came a period called the Former Diet.

The King Sun (Louis XIV) was indeed the supreme chief because he was using the famous letter of pill and was protecting writers and artists like Peter Crow, John Root, John of the Spring and The-Heather. Then Parmentier in 1774 invented the apple of earth. Then the brothers Montgolfier in 1789 kicked a balloon in the air. The General States met in Versailles on May the fifth 1789 but the Deputies of the Third State met in another place called the room of Game of Palm. On july 14th 1789, there was the plug of the Bastille. The royal family was kept prisoner in the Doormanhouse in Paris and then they lost the head. In 1793, the Comittee of Public-Hello invented the diet of the Terror. And the people of the people were singing in the streets: "Ah, it will go, it will go!" They were called the "without pants". Then came Bonaparte (married to Josephine of-Beautiful-Harness), then Napoleon (it is the same). He was very small and was earning all the battles because he was always drinking a bottle of brandy hidden in his jacket (the brandy is for this reason now called the brandy of Napoleon). He made the country of Russia in 1812 where he was supposed to retire (the retirement of Russia).

The Bourbons tried a first restauration in 1814 but they were obliged to close their restaurant when Napoleon came back for one hundred days and was defeated in Belgium at Petits-Coins-d'Eau, in 1815. He died in the island of Holy Helen, prisoner of the English.

Louis XVIII started a new restauration (nothing to see with the new kitchen) and then Louis-Philip and his famous Minister Casimir Perier (a very sparkling man!) became king; his famous General Bugeaud lost his cap in Algeria.

In 1827, the first path-of-iron and the first boat-to-steam appeared. In 1852, Napoleon III became Emperor. He was governing with an assembly called the legislative body. Then came the Third Republic with a chief of government called Third of course. He was replaced by Mac-Mahon in 1873 who dissolved the Bedroom of the Deputies because of General Baker. In 1882, Jules Ferry, the father of the compulsory secular school allowed the poor children to have Stock Exchanges to pay their stu-

dies. In 1918, near Verdun during a famous battle called the Path-of-the-Ladies, we won the war with the help of the cabs of the Marne.
After the war in 1924 came the Wallclock of Left and in 1932, Mister The-Brown was elected President of the Republic.
In 1939, after the period of the Popular Forehead, started a new war and on the 18th of June 1940, the General of Gaulle sent his famous call to the French: "The French talk to the French."
In 1944, the Allied disembarked in Normandy and it was called the Day J.
Then after the victory, many governments governed France including in 1956 Mr. Guy Calf and later on Mr. Raymond Rod.

Le Moyen Âge commence lorsque la Gaule est envahie par les Huns. mais les Gaulois ont chassé les Huns de Troyes (ce qui fait deux ?). En 481, le roi des Francs, Clovis, cassa un vase à Soissons. Clovis était le roi des Francs français, les Francs suisses et les Francs belges avaient bien

sûr un autre roi. Après Clovis, il y eut les rois fainéants, l'un d'eux, Charles Martel, qui était moins fainéant que les autres, arrêta les Arabes à Poitiers. Son fils, Pépin le Bref, était le père de Charlemagne, lui-même très bon ami du Pape, qui le sacra Empereur (pour le remercier, Charlemagne créa le Pop Club, avec le roi José Artur). Après vinrent les croisades avec

Godefroy de Bouillon. En France, à cette époque-là, les pauvres paysans étaient appelés les Vilains et ils étaient obligés de payer un impôt appelé la taille. En 1214, le fils de Louis VI le Gros vainquit le roi anglais Jean sans Terre et en 1302, Philippe le Bel organisa les États Généraux.
En 1428, après Jean le Bon, Jeanne d'Arc qui avait entendu des voix (probablement la voix de son maître...) délivra Orléans, mais elle fut brûlée vive par l'évêque Cauchon. Puis vint Charles le Chauve, François Ier et Henri IV, très bien conseillé par Michel de l'Hôpital qui organisa la « poule au pot » tous les dimanches pour les Français (quelle était la couleur du cheval blanc d'Henri IV ? : blanc ! ! !). En 1610, la France était très prospère avec des gens très riches comme le célèbre Jacques Cœur. En 1624, après le Cardinal de Richelieu, vint une période intitulée l'Ancien Régime. Le Roi Soleil (Louis XIV) était vraiment le chef suprême parce qu'il utilisait la fameuse lettre de cachet et protégeait les écrivains et les artistes comme Pierre Corneille, Jean Racine, Jean de La Fontaine et La Bruyère. Puis Parmentier, en 1774, inventa la pomme de terre. Puis les frères Montgolfier, en 1789, envoyèrent leur ballon en l'air. Les États Généraux se réunirent à Versailles le 5 mai 1789, mais les Députés du Tiers État se réunirent dans un autre lieu qui s'appelle la salle du Jeu de Paume. Le 14 juillet 1789 eut lieu la prise de la Bastille. La famille royale fut faite prisonnière à la Conciergerie à Paris et ensuite tous perdirent la tête. En 1793, le Comité de Salut Public inventa le Régime de la Terreur. Et les gens du peuple chantaient dans les rues : « Ah, ça ira, ça ira ! » On les appelait les « sans culotte ». Puis vint Bonaparte (marié à Joséphine de Beauharnais), ensuite Napoléon (c'est le même). Il était très petit et gagnait toutes les batailles parce qu'il buvait toujours une bouteille de Cognac caché dans sa veste (c'est pour cela que l'on dit depuis le « cognac Napoléon »). Il fit la campagne de Russie en 1812 où il était supposé prendre sa retraite (la retraite de Russie...).
Les Bourbons essayèrent une première restauration en 1814 mais ils furent obligés de fermer leur restaurant lorsque Napoléon revint pour les cent jours et fut vaincu en Belgique à Waterloo en 1815. Il mourut dans l'île de Sainte-Hélène, prisonnier des Anglais.
Louis XVIII commença une nouvelle restauration (rien à voir avec la nou-

velle cuisine) et ensuite Louis-Philippe avec son célèbre ministre Casimir Périer (un homme très pétillant) devint roi ; son célèbre Général Bugeaud perdit sa casquette en Algérie.
En 1827 le premier chemin de fer et le premier bateau à vapeur apparurent. En 1852, Napoléon III devint Empereur, il gouvernait avec une assemblée appelée le corps législatif. Puis vint la Troisième République avec un chef de gouvernement appelé Thiers, bien sûr. Il fut remplacé par Mac Mahon en 1873 qui dissout la Chambre des Députés à cause du Général Boulanger. En 1882, Jules Ferry le père de l'école laïque obligatoire autorisa les enfants pauvres à avoir des bourses pour payer leurs études.
En 1918, près de Verdun pendant une célèbre bataille appelée le Chemin des Dames, nous avons gagné la guerre grâce à l'aide des taxis de la Marne. Après la guerre, en 1924, le Cartel de Gauche fit son apparition et en 1932, Monsieur Lebrun fut élu Président de la République. En 1939, après la période du Front Populaire, débuta une nouvelle guerre et le 18 juin 1940 le Général de Gaulle lança son célèbre appel aux Français : « Les Français parlent aux Français. »
En 1944, les Alliés débarquèrent en Normandie et on appela ça le Jour J. Ensuite, après la victoire, de nombreux gouvernements gouvernèrent la France y compris en 1956 M. Guy Mollet et plus tard M. Raymond Barre.

Oh! quand les saints vont marcher dedans

Oh! when the saints go marching in

Arts et littérature

VOCABULAIRE

accordéon	*accordion*	peinture	*painting*
blanc	*white*	pinceau	*brush*
bleu	*blue*	piston	*valve*
chanson	*song*	musique	*music*
couleur	*color*	rose	*pink*
flûte	*flute*	rouge	*red*
galerie	*gallery*	sifflet	*whistle*
gris	*grey*	tableau	*picture*
jaune	*yellow*	tambour	*drum*
marron	*brown*	trompette	*trumpet*
noir	*black*	vert	*green*
opéra	*opera*	violet	*purple*
orchestre	*band*	violon	*fiddle*

EXERCICES

Faites-nous en voir de toutes les couleurs...

1. En français :

Travailler au noir
To work at the black
To moonlight

Il est marron
He's brown
He was had

Vert de rage
Green of anger
Mad as a hornet

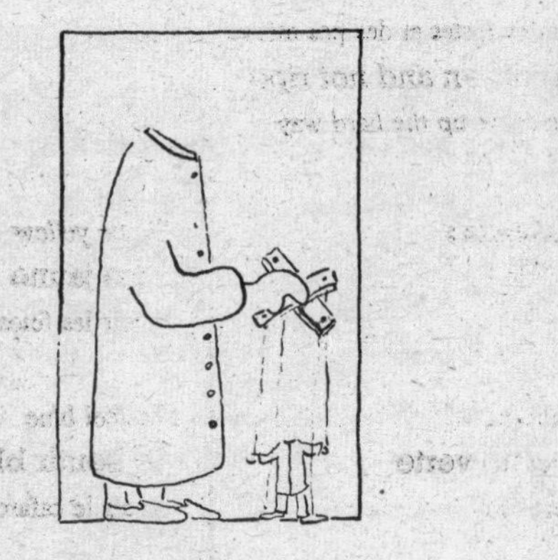

Éminence grise
Grey eminence
Eminence grise

Blanc cassé
White broken
Off-white

Ça m'a flanqué une peur bleue
It gave me a blue fear
It scared me to death

N'y voir que du bleu
To see only blue
Not to smell a rat

Saigner à blanc
To bleed to white
To drain dry

Caisse noire
Black cashbox
Slush fund

Rire jaune
To laugh yellow
To laugh out of the wrong side of one's mouth

En voir des vertes et des pas mûres
To see green and not ripe
To have come up the hard way

2. En anglais :

A greenhorn
Une corne verte
Un blanc-bec

Red-letter
Rouge-lettre
Marqué d'une pierre blanche

To be yellow
Être jaune
Avoir les foies

To feel blue
Se sentir bleu
Avoir le cafard

To cry blue murder
Crier au meurtre bleu
Crier comme un putois

A purple passage
Un passage violet
Un morceau de bravoure

A blackout
Un noir dehors
Une panne d'électricité

To talk a blue streak
Parler une raie bleue
Avoir la langue bien pendue

To be in the pink
Être dans le rose
Être au mieux de sa forme

I am in her black books
Je suis dans ses livres noirs
Je ne suis pas dans ses petits papiers

To beat someone black and blue
Battre quelqu'un noir et bleu
Tabasser quelqu'un

To paint the town red
Peindre la ville en rouge
Faire les 400 coups

Once in a blue moon
Une fois dans une lune bleue
Tous les 36 du mois

Music, please!

Bagpipe
Sac à pipe
Cornemuse

Soap opera
Opéra savon
Mélo

Pickup
Cueillez en haut
Électrophone

To face the music
Faire face à la musique
Payer les pots cassés

I got it for a song
Je l'ai obtenu pour une chanson
Je l'ai eu pour une bouchée de pain

Don't give me that jazz!
Ne me donne pas ce jazz !
A d'autres !

To harp on one's string
Jouer de la harpe sur sa corde
Rabâcher

Strike up the band!
Frappez en haut l'orchestre !
En avant la musique !

To be as fit as a fiddle
Être aussi capable qu'un violon
Se porter comme un charme

Rédaction :
vous êtes musicien...

Yesterday I remained on the touch because my car was in accordion. In effect, I cut the whistle to a cop, without drum nor trumpet, in saying him that he was playing of the big drum. It was settled like paper to music,

I found myself again in the fiddle but as I had valve I went out of it drum beating. You have to know that I am not of the wood of which are made the flutes.

Hier je suis resté sur la touche parce que ma voiture était en accordéon. En effet j'ai coupé le sifflet à un flic, sans tambour ni trompette, en lui disant qu'il jouait de la grosse caisse. C'était réglé comme du papier à musique, je me suis retrouvé au violon mais comme j'avais du piston, j'en suis sorti tambour battant. Il faut que vous sachiez que je ne suis pas du bois dont on fait les flûtes.

I stood yesterday on the touch-lines because my car was bashed-in. In fact I shut a cop up without any fuss when I told him he played the bass drum. It was as regular as clockwork, I ended up in jail but as I knew the right people I got out of there in a jiffy. You have to know that you can't play around with me.

Rédaction : vous êtes peintre...

I announce you all of follow-up the color: I can't see him in painting because he plays on the two pictures to entertain the gallery in thinking that it will make well in the painting, in fact he mixes up his brushes and if I am varnished I'll make him see of all colors.

Je vous annonce tout de suite la couleur : je ne peux pas le voir en peinture parce qu'il joue sur les deux tableaux pour amuser la galerie en pensant que cela fera bien dans le tableau, en fait il s'emmêle les pinceaux et si je suis verni je lui en ferai voir de toutes les couleurs.

I lay my cards straight out on the table: I can't bear the sight of him because he plays both ends against the middle to show off thinking it will suit him down to the ground, actually he's getting into a muddle and if I am on a winning streak I'll give him a rough time of it.

Morceaux choisis...

1. En anglais :

Ah the little peas, the little peas...

Ah les petits pois, les petits pois...

At the Bastille, we like her well Mimi skin of dog...

A la Bastille, on l'aime bien Mimi peau de chien...

The death of the swan (broom)

La mort du cygne (ballet)

Little Daddy Christmas

Petit Papa Noël

I have three big beefs in my stable

J'ai trois gros bœufs dans mon étable

The mass in if

La messe en si

A little corner of umbrella against a corner of paradise...

Un petit coin de parapluie contre un coin de paradis...

No, nothing of nothing, no I do not regret anything...

Non, rien de rien, non je ne regrette rien...

Music of bedroom in general...

Musique de chambre en général...

2. En français :

Thé pour deux
Tea for two

Oh quand les saints vont marcher dedans
Oh when the saints go marching in

Seulement toi
Only you

Rocher autour de l'horloge
Rock around the clock

Nostalgie : Françoise Hardy...

“All the boys and the girls of my age are walking in the street two by two, all the boys and the girls of my age know well what it is to be happy, and the eyes in the eyes, and the hand in the hand, they are going enamorous without fear of the day after, ter, ter...”

« Tous les garçons et les filles de mon âge se promènent dans la rue deux par deux, tous les garçons et les filles de mon âge savent bien ce que c'est d'être heureux, et les yeux dans les yeux, et la main dans la main, ils s'en vont amoureux sans peur du lendemain, ain, ain... »

The Marseillaise!

“Let's go children of the fatherland,
The day of glory has arrived!
Against us of the tyranny, y,
The bloody standard has been raised (two times)
Do you hear in our countries
Bellow these ferocious soldiers?
They come until in our arms
To cut the throat of our sons and companions
At the weapons, citizens form your battalions,
Let's walk, let's walk, that an impure blood
Water our furrows.”

Faites votre cinéma...

1. En anglais : *The big rove*

La grande vadrouille

The war of the buttons
La guerre des boutons

Inspector the flaw
Inspecteur la bavure

Everybody he is nice, everybody he is kind
Tout le monde il est beau, tout le monde il est gentil

The train will whistle three times
Le train sifflera trois fois

Come at my place, I live at a girlfriend's place
Viens chez moi, j'habite chez une copine

2. En français :

Ma jolie madame
My fair lady

Histoire du côté ouest
West Side Story

Doigt d'or
Gold finger

Pierre Poêle
Peter Pan

Pouvez-vous les voir en peinture ?

The Dwarf
Le Nain

Chick
Poussin

The Tower
La Tour

Of the Cross
Delacroix

Quels livres aimeriez-vous emporter sur une île déserte du Commonwealth ?

The little thing
Le petit chose (A. Daudet)

Hair of carrot
Poil de carotte (Jules Renard)

The flowers of the bad
Les fleurs du mal (Baudelaire)

Beautiful friend
Bel ami (Maupassant)

As much as takes the wind
Autant en emporte le vent (M. Mitchell)

Newspaper of a vicar of the countryside
Journal d'un curé de campagne (G. Bernanos)

At the west, nothing new
A l'ouest, rien de nouveau (E.M. Remarque)

The letters of my windmill
Les lettres de mon moulin (A. Daudet)

Good morning sadness
Bonjour tristesse (F. Sagan)

Holy Antony: The holidays of Bérurier
San Antonio : Les vacances de Bérurier (F. Dard)

I'm waiting for a child
J'attends un enfant (Laurence Pernoud)

The Miser of Molière (My tape! my tape! somebody has stolen my tape!)

L'Avare de Molière (Ma cassette ! ma cassette ! on a volé ma cassette !)

The Novel of Fox, the Novel of the Rose and some songs of gesture of the Average Age

Le Roman de Renart, le Roman de la Rose et quelques chansons de gestes du Moyen Âge

Place aux petits enfants et à leurs chansons préférées !

"Mummy the little boats which go on the water, do they have legs? But yes my big silly if they didn't have any they wouldn't walk. Going right in front of them, they make the tower of the world, but as the earth is round, they come back home."

« Maman, les petits bateaux qui vont sur l'eau ont-ils des jambes ? Mais oui mon gros bêta, s'ils n'en avaient pas ils n'march'raient pas. Allant droit devant eux, ils font le tour du monde, mais comm' la terre est ronde, ils reviennent chez eux. »

"Miller, you sleep, your windmill, your windmill goes too fast, miller, you sleep, your windmill, your windmill goes too strong. Your windmill, your windmill goes too fast, your windmill, your windmill goes too strong, your windmill, your windmill goes too fast, your windmill, your windmill goes too strong."

« Meunier, tu dors, ton moulin, ton moulin va trop vite, meunier tu dors, ton moulin, ton moulin va trop fort. Ton moulin, ton moulin va trop vite, ton moulin, ton moulin va trop fort, ton moulin, ton moulin va trop vite, ton moulin, ton moulin va trop fort. »

"In the faraway forest, one hears the cuckoo. Of the high of his tall oak, he answers to the owl: neckneck owl, neckneck owl, neckneck owl, neckneck."

« Dans la forêt lointaine, on entend le coucou. Du haut de son grand chêne, il répond au hibou : coucou hibou, coucou hibou, coucou hibou, coucou. »

"Again one broken pane, here comes the glazier who passes. Again one broken pane, here comes the glazier who passed."

« Encore un carreau d'cassé, v'là l'vitrier qui passe,
Encore un carreau d'cassé, v'là l'vitrier d'passé. »

Balance sheet

Feuille qui se balance

Bilan

Les affaires

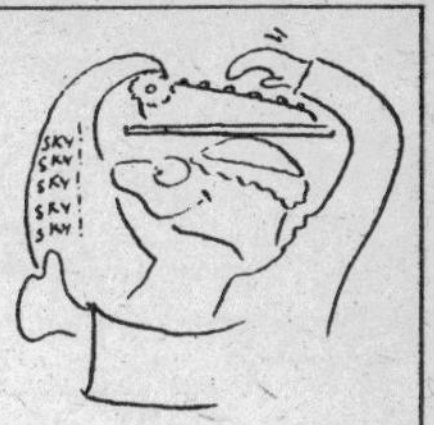

VOCABULAIRE

abondance	*wealth*
bureau	*office*
caisse	*cash (register)*
cerveau	*brain*
chasse à courre	*fox hunting*
conseil d'administration	*board*
dépense	*expense*
échecs	*chess*
forgeron	*blacksmith*
partenaire	*partner*
président	*chairman*
professeur	*teacher*
société	*company*
taper à la machine	*to type*
trust	*trust*
voyager	*to travel*

EXERCICES

Les mots qui vous seront utiles dans une société anglo-saxonne

Attaché case
Boîte attachée
Attaché-case

Box office
Boîte de bureau
Bureau de location

Brain trust
Cerveau de confiance
Groupe de réflexion

Software
Article doux
Software

Hardware
Article dur
Hardware

Gross margin
Marge grossière
Marge brute

Liquid assets
Atouts liquides
Valeurs disponibles

Cash flow

La caisse coule

Marge brute d'autofinancement

Broker

Casseur

Courtier

House organ

Orgue de maison

Journal interne d'entreprise

Board meeting

Réunion de planche

Conseil d'administration

Limited company

Compagnie limitée

Société anonyme

Brainstorm

Orage de cerveau

Séance de réflexion

Chairman of the board

Homme-chaise de la planche

Président-directeur général

Sleeping partner

Associé endormi

Partenaire qui n'est pas actif

Balance sheet

Feuille qui se balance

Bilan

Looking forward to hear from you

En regardant en avant pour vous entendre

Dans l'attente de vous lire

A shorthand typist

Une tapeuse à la main courte

Une sténodactylo

A la Direction financière.
Comment articulez-vous
les dépenses de la société ?

Frais généraux

General expenses

Overheads

Frais de lancement

Launching expenses

Set-up costs

Frais de représentation
Performance expenses
Entertainment allowance

Frais de déplacement
Expenses of displacement
Travelling expenses

Frais d'entretien
Conversation expenses
Maintenance expenses

Frais d'exploitation
Exploitation expenses
Operating costs

Frais de premier établissement
Expenses of first establishment
Initial capital expenditure

Choisissez le métier de vos rêves...

1. En français :

Garçon de bains
Boy of baths
Bath attendant

Bookkeeper
Gardien de livre
Comptable

Dame pipi
Lady wee wee
Lavatory attendant

Rond de cuir
Round of leather
Penpusher

Avocat
Avocado
Barrister

Chef de rayon
Chief of beam
Buyer

En anglais :

Waiter
Celui qui attend
Garçon de café

Cover girl
Fille couverte
Mannequin

Conductor
Conducteur
Chef d'orchestre

Bell captain
Capitaine cloche
Maître d'hôtel

Solicitor
Solliciteur
Avoué

Rédigez un curriculum vitae :

Name: John of Bridge

Born: 1922

At: Point-to-Clown

Studies: Lycée Louis-the-Big and School of the Rocks, licensed in right and in living tongues.

Career: Teacher of Letters at the Superior Normal School, and then Chief of Water Closet at the Yard of the Counts.

Distinctions: Knight of the Arts and of the Letters, Academic Palms.

Ingres Violin: Hunt to run, failure game, flying stag.

Nom : Jean Dupont

Né : 1922

A : Pointe-à-Pitre

Études : Lycée Louis-le-Grand et École des Roches, licencié en droit et en langues vivantes.

Carrière : Professeur de Lettres à l'École Normale Supérieure, et ensuite Chef de Cabinet à la Cour des Comptes.

Distinctions : Chevalier des Arts et des Lettres, Palmes Académiques.

Violon d'Ingres : Chasse à courre, jeu d'échecs, cerf-volant.

Apprenez à vous servir des chiffres

1 = One — *You're one to talk!*

Tu en es un pour parler !

Tu es gonflé !

2 = Two — *To put two and two together*

Mettre deux et deux ensemble

Tirer la leçon des choses

3 = Three *To give someone the third degree*
Donner à quelqu'un le troisième degré
Mettre quelqu'un sur la sellette

4 = Four *To be on all fours*
Être sur tous les quatre
Être à quatre pattes

5 = Five *To take five*
Prendre cinq
Faire la pause

6 = Six *It's six of one, half a dozen of the other*
C'est six de l'un, une demi-douzaine de l'autre
C'est blanc bonnet et bonnet blanc

7 = Seven *To be at sixes and sevens*
Être à six et à sept
Le torchon brûle

8 = Eight *To be behind the eight ball*
Être derrière la balle huit
Être dans le pétrin

9 = Nine *Dressed up to the nines*
Habillé aux neuf
Sur son trente et un

10 = Ten *Ten Downing Street*
Dix de la rue qui descend
Hôtel Matignon

Rédaction :
Un comptable raconte une réception.

The buffet was dressed at the six four two and after a quarter of hour there was only three bald and one cropped since most of the guests had understood it was a five to seven. When they saw their error they made neither one neither two and left in five dry.
The ones who stayed put themselves to eat like four reducing the buffet to zero. The mistress of house told them to come back today in eight. Like they were mocking of it like the year forty, they left telling her that they received her five on five.

Le buffet était dressé à la six quatre deux et au bout d'un quart d'heure il n'y eut plus que trois pelés et un tondu car la plupart des invités avaient compris qu'il s'agissait d'un cinq à sept. Quand ils s'étaient aperçu de leur erreur ils n'avaient fait ni une ni deux et étaient repartis en cinq sec. Ceux qui étaient restés se mirent alors à manger comme quatre et réduisirent le buffet à zéro. La maîtresse de maison leur dit de revenir aujourd'hui en huit. Comme ils s'en moquaient comme de l'an quarante, ils partirent en lui disant qu'ils la recevaient cinq sur cinq.

The buffet was set in a slapdash manner and after a quarter of an hour they were only a few odds and sods since most of the guests had understood that it was a thryst. When they realized they were wrong, they did not hesitate a moment and left immediately.
The ones who were still there then started to eat like pigs wiping out the buffet. The hostess told them to come back today a week. Since they didn't care two pence they left telling her that they were receiving her loud and clear.

Proverbes :

C'est en forgeant qu'on devient forgeron

It is in forging that you become blacksmith

Practice makes perfect

Un tiens vaut mieux que deux tu l'auras

One hold is worth best than two you will have it

A bird in the hand is worth two in the bush

Abondance de biens ne nuit pas

Abundance of goods doesn't harm

Store is not sore

Bien mal acquis ne profite jamais

Well bad acquired does never profit

Ill gotten, ill spent

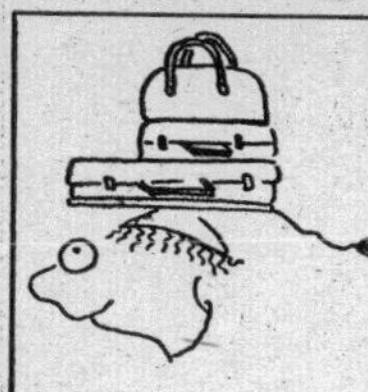

Les voyages

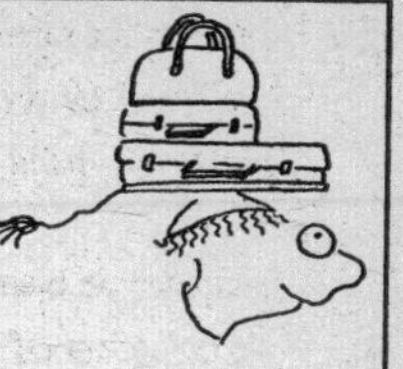

VOCABULAIRE

bateau	*boat*
château	*castle*
grand magasin	*department store*
malle	*trunk*
métro	*underground*
patin	*skate*
pédale	*pedal*
prison	*prison*
rue	*street*
selle	*saddle*
train	*train*
valise	*suitcase*
vapeur	*steam*
voile	*sail*

EXERCICES

En voiture !

Lunette arrière
Back glasses
Rear window

Boîte de vitesses
Box of speeds
Gear box

Pare-chocs
Parry shocks
Bumpers

Pont arrière
Back bridge
Rear axle

Tête-à-queue
Head to queue
Tailspin

Pneu crevé
Exhausted tyre
Flat tyre

Marche arrière
Back walk
Reverse gear

Point mort
Dead point
Neutral gear

Pot d'échappement
Pot of escape
Exhaust pipe

Roulez jeunesse !

Tour de France
Tower of France
France Tour

Avoir un petit vélo
To have a little bike
To have a screw loose

Un boyau
A gut
An inner tube

Les rayons
The beams
The spokes

Double plateau
Double tray
Double chainwheel

Un cadre
An executive
A frame

Aller à la selle
To go to the saddle
To pass a motion

Perdre les pédales
To lose one's pedals
To lose all self-control

Rouler un patin à quelqu'un
To roll a skate to someone
To give someone à French kiss

Accrochez les wagons !

Des valises sous les yeux
Suitcases under the eyes
Bags under the eyes

A ce train-là
At this train
At this speed

Courir à fond de train
To run at bottom of train
To run like mad

Avoir le ticket avec
To have the ticket with
To be in solid with

Un chemin de fer
A path of iron
A railway

Le train-train quotidien
The daily train-train
The daily routine

Faire la malle
To do the trunk
To skedaddle

Larguez les amarres !

Un cours d'eau
A class of water
A river

Avoir le pied marin
To have the navy foot
To be a good sailor

La Manche
The Sleeve
The English Channel

Bateau-mouche
Fly-boat
Pleasure steamer

Bien mener sa barque
To lead well one's small boat
To handle one's affairs right

Marcher à la voile et à la vapeur
To walk at the sail and at the steam
To be ac/dc

Monter un bateau à quelqu'un

To climb a boat to someone

To lead someone on

S'il vous plaît,
contrôle des passeports !

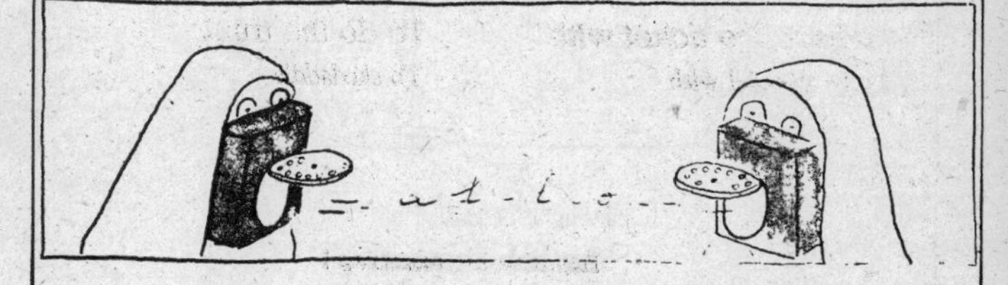

Le téléphone arabe

The Arabic telephone

The bush telephone

1. En français :

J'y perds mon latin

I lose there my latin

I can't make head or tail of it

Une tête de Turc

A head of Turk

A whipping boy

Rond comme un Polonais

Round like a Pole

As drunk as a lord

C'est pas le Pérou

It's not the Peru

It's no goldmine

Parler petit nègre

To speak small negro

To talk pidgin English

Douche écossaise
Scottish shower
Blowing hot and cold

S'asseoir à la turque
To sit at the Turkish
To sit cross-legged

Parler français comme une vache espagnole
To speak french like a Spanish cow
To speak broken French

Être bon comme la romaine
To be good like the Roman
To be done for

Avoir les Portugaises ensablées
To have the Portugueses stuck in the sand
To have wax in one's ears

Va te faire voir chez les Grecs !

Go and make you seen at the Greeks!

Go to hell!

Renvoyer aux calendes grecques

To send back to the Greek calends

To put off till the cows come home

2. En anglais :

To take French leave

Prendre le congé français

Filer à l'anglaise

To go Dutch

Aller hollandais

Payer chacun sa part

Scotland Yard

Cour d'Écosse

Scotland Yard

To be in Dutch

Être dans le hollandais

Être dans le pétrin

It's all Greek to me!

C'est tout grec pour moi !

Pour moi, c'est du chinois !

Dutch courage

Courage hollandais

Courage puisé dans la bouteille

Welsh rabbit

Lapin gallois

Toast au fromage

Rédaction :
Racontez une promenade dans Paris

I like Paris. The streets I prefer are the street of the Dry-Tree, the street of the Ferry, the boulevard Good-News, the street of the Cat-Who-Fishes, the street of Look-for-Noon, the street Mister-the-Prince, the street of the Little-Fields and the street Old-of-The-Temple. There are some places which I like very much like the Game of Palm, the Doormanhouse, the theatre of the Madnesses-Shepherdesses, the hospital ot fhe Fifteen-Twenty, the Prison of Health and the big department stores like the Beautiful Gardener, the Good Market, the Spring. But what I prefer in Paris is to take the underground. I took it once at the Daughters-of-the-Calvary and went through the stations Star, White, Mute, Jasmine, Green-Path, Charenton-School, Door-of-the-Lilac, Door-of-the-Chapel, Military-School, Father-the-Chair, Crowns, Hotel-of-Town, New-Bridge, Bridge-Mary, Royal-Palace and Door-Bathing-Suit. I forgot to say that I made a change at two stations called Montparnasse-Welcome and Marcadet-Fishmongers.

J'aime Paris. Les rues que je préfère sont : la rue de l'Arbre-Sec, la rue du Bac, le boulevard Bonne-Nouvelle, la rue du Chat-qui-Pêche, la rue du Cherche-Midi, la rue Monsieur-le-Prince, la rue des Petits-Champs et la rue Vieille-du-Temple. Il y a des endroits que j'aime beaucoup comme le Jeu de Paume, la Conciergerie, le théâtre des Folies-Bergère, l'hôpital des Quinze-Vingt, la Prison de la Santé, et les grands magasins tels que la Belle Jardinière, le Bon Marché, le Printemps. Mais ce que je préfère à Paris c'est prendre le métro. Je l'ai pris une fois à Filles-du-Calvaire et suis passé par les stations Étoile, Blanche, Muette, Jasmin, Chemin-Vert, Charenton-École, Porte des Lilas, Porte de la Chapelle, École Militaire, Père-Lachaise, Couronnes, Hôtel-de-Ville, Pont-Neuf, Pont-Marie, Palais-Royal et Porte Maillot. J'ai oublié de dire que j'ai changé à deux stations appelées Montparnasse-Bienvenue et Marcadet-Poissonniers.

Rédaction :
Votre tour de France
en voiture avec vos parents

We went first to Towers and visited some castles of the Loire, like Azay-the-Curtain which is the one that I prefer. We went then to Windmills, then to Brive-the-Vigorous and the Tray of One-Thousand-Cows not far from the Department of the Hollow. We slept at The Well. The day after we went to Holy-Steve and after in the department of the Mouths-of-the-Rhône near Ass-ass-round. Then we went to Novels, Franktown in the Beaujolais, Bourges in the department of the Expensive, and at Bass-on-Dawn.

We finished our tower of France at Cambrai where we bought some sillinesses and in the Ribs-of-North where we saw the Sleeve. We did not go unfortunately in Britanny to visit Reindeers in the department of the Island-and-Naughty. We came back to Paris via Noisy-the-Dry and Juvisy-on-Barley.

P.S. : In Paris my parents took me to see a spectacle at the Red Windmill.

Nous sommes d'abord allés à Tours et avons visité quelques châteaux de la Loire, comme Azay-le-Rideau qui est celui que je préfère. Ensuite nous sommes allés à Moulins, puis à Brive-la-Gaillarde et le Plateau de Millevaches non loin du département de la Creuse. Nous avons dormi au Puy. Le lendemain nous sommes allés à Saint-Étienne et après dans le département des Bouches-du-Rhône près de Cucuron. Puis nous sommes allés à Romans, Villefranche dans le Beaujolais, Bourges dans le département du Cher et à Bar-sur-Aube. Nous avons terminé notre tour de France à Cambrai où nous avons acheté des bêtises et dans les Côtes-du-Nord où nous avons vu la Manche. Malheureusement nous ne sommes pas allés en Bretagne visiter Rennes dans le département de l'Ille-et-Vilaine. Nous sommes rentrés à Paris via Noisy-le-Sec et Juvisy-sur-Orge.

P.S. : A Paris mes parents m'ont emmené voir un spectacle au Moulin-Rouge.

Proverbes :

Paris ne s'est pas fait en un jour

Paris wasn't made in one day

Rome wasn't built in one day

Qui veut voyager loin ménage sa monture

Who wants to travel far saves his mount

Slow and steady wins the race

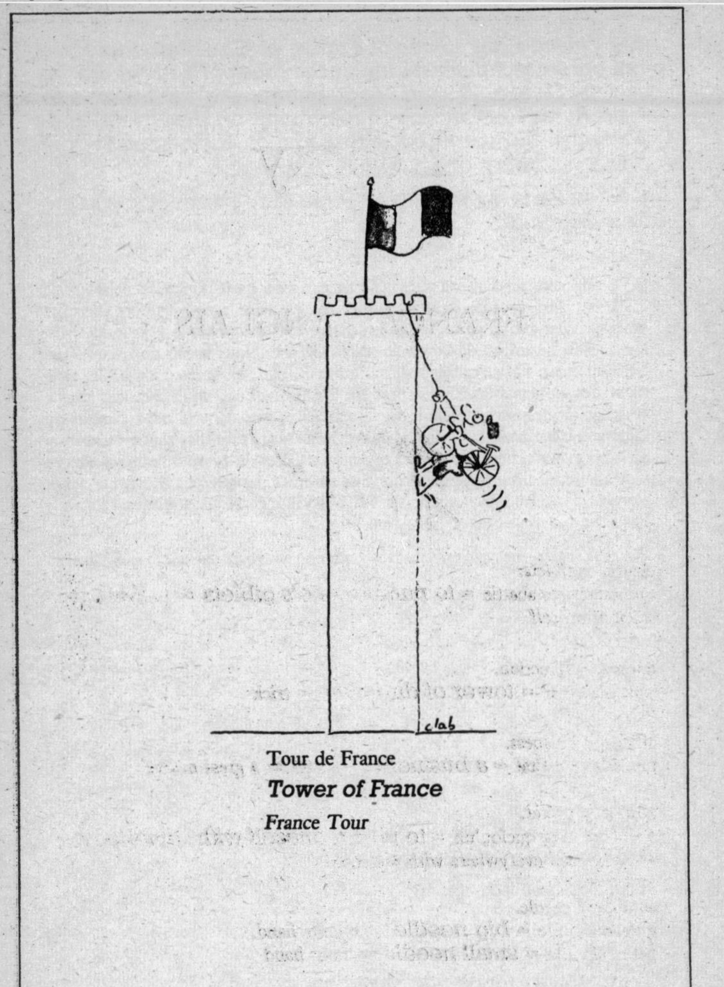

Tour de France

Tower of France

France Tour

Lexsky

FRANÇAIS-ANGLAIS

abattis = *giblets.*
numéroter ses abattis = **to number one's giblets** = *to have better stock of oneself*

adresse = *direction.*
tour d'adresse = **tower of direction** = *trick*

affaire = *business.*
une affaire d'Etat = **a business of State** = *a great matter*

affiche = *poster.*
s'afficher avec quelqu'un = **to poster oneself with somebody** = *to be seen everywhere with someone*

aiguille = *needle.*
grande aiguille = **big needle** = *minute hand.*
petite aiguille = **small needle** = *hour hand*

aller = *to go.*
va-nu-pieds = **go-bare-feet** = *tramp*

amour = *love.*
amour propre = **clean love** = *self-respect*

arracher = *to tear.*
travailler d'arrache-pied = **to work of tear-foot** = *to work steadily*

arrêt = *stop.*
chien d'arrêt = **dog of stop** = *pointer*

as = *ace.*
être plein aux as = **to be full at the aces** = *to have plenty of money*

assiette = *plate.*
assiette anglaise = **English plate** = *plateful of cold meat*

assise = *sitting.*
Cour d'Assises = **Yard of Sittings** = *Assize Court*

avenant = *pleasing.*
à l'avenant = **at the pleasing** = *in conformity*

bâiller = *to yawn.*
bâiller aux corneilles = **to yawn to the crows** = *to stand gaping*

balade = *excursion.*
envoyer balader quelqu'un = **to send someone in excursion** = *to send someone packing*

bateau = *boat.*
monter un bateau = **to climb a boat** = *to hoax*

beau = *beautiful.*
avoir beau jeu = **to have beautiful game** = *to have every opportunity to do something.*

l'échapper belle = **to escape beautiful** = *to have a close shave.*
jouer la belle = **to play the beautiful** = *to play the deciding game.*
la belle-famille = **the beautiful family** = *the in-laws*

bec = *beak.*
clouer le bec = **to nail the beak** = *to shut someone up*

bergère = *shepherdess.*
une bergère Louis XVI = **a shepherdess Louis XVI** = *an easy-chair Louis XVI*

besoin = *need.*
faire ses besoins = **to make one's needs** = *to relieve nature*

boîte = *box.*
mettre quelqu'un en boîte = **to put somebody in box** = *to make fun of someone*

bouchon = *cork.*
c'est plus fort que de jouer au bouchon ! = **it's stronger than to play at the cork!** = *that's the limit!*

bouffi = *puffy.*
tu l'as dit, bouffi ! = **you've said it, puffy!** = *you better believe it!*

bûche = *log.*
bûcher un examen = **to log an exam** = *to grind for an examination.*
ramasser une bûche = **to pick up a log** = *to fall*

bureau = *office.*
un bureau de tabac = **an office of tobbaco** = *a tobacconist's shop*

branler = *to shake.*
branle-bas de combat = **shake-down of fight** = *clearing for action*

brasseur = *brewer.*
un brasseur d'affaires = **a brewer of business** = *a wheeler-dealer*

brouiller = *to scramble.*
les yeux brouillés de larmes = **eyes scrambled of tears** = *eyes dimmed with tears*

café = *coffee.*
garçon de café = **boy of coffee** = waiter

cailler = *to clot.*
se cailler les miches = **to clot one's loaves** = to be freezing

campagne = *country.*
en rase campagne = **in shave country** = *in the open*

capote = *overcoat.*
une capote anglaise = **an English overcoat** = a preservative

carrière = *stonepit.*
embrasser une carrière = **to kiss a stonepit** = to take up a career

carton = *cardboard.*
faire un carton = **to make a cardboard** = to make a good score

casser = *to break.*
un casse-tête chinois = **a Chinese break-head** = a Chinese puzzle

chair = *flesh.*
bien en chair = **well in flesh** = *plump*

chambre = *bedroom.*
Chambre de Commerce = **Bedroom of Trade** = Chamber of Commerce

chandelle = *candle.*
économies de bouts de chandelle = **economies of ends of candle** = *cheeseparing economy*

chapeau = *hat.*
chapeau ! = **hat!** = well done!

charge = *load.*
chargé d'affaires = **loaded of business** = chargé d'affaires

chaud = warm.
une opération à chaud = **an operation at warm** = an emergency operation

chef = *chief.*
il importe au premier chef que = ***it imports at the first chief that*** = *it is essential that*

chou = *cabbage.*
feuille de chou = ***leaf of cabbage*** = *rag*

clé = *key.*
clé anglaise = ***English key*** = *adjustable spanner*

cloche = *bell.*
cloche à fromage = ***bell to cheese*** = *cheesecover*

cocotte = *chicken.*
cocotte minute = ***chicken minute*** = *pressure cooker*

cocotier = *coconut-tree.*
gagner le cocotier = ***to win the coconut-tree*** = *to hit the jackpot*

collet = *collar.*
un collet monté = ***a mounted collar*** = *a stiff-necked*

collier = *necklace.*
donner un coup de collier = ***to give a blow of necklace*** = *to put one's back into it*

combien = *how much.*
on est le combien ? = ***we are the how much?*** = *what day of the month is it?*

comprendre = *to understand.*
service compris = ***service understood*** = *tip included*

conseil = *advice.*
conseil de guerre = ***advice of war*** = *court-martial*

contenance = *capacity.*
faire bonne contenance = ***to make good capacity*** = *to show a bold front*

couleuvre = *snake.*
avaler des couleuvres = ***to swallow snakes*** = *to pocket an affront*

couper = *to cut.*
ça te la coupe ! = **it cuts it to you!** = *that knocks you!*

cours = *course.*
sécher un cours = **to dry a course** = *to cut a class*

course = *running.*
faire les courses = **to make the runnings** = *to do the shopping*

corde = *rope.*
prendre un virage à la corde = **to take a turner at the rope** = *to cut a corner close*

couvrir = *to cover.*
couvre-chef = **cover-chief** = *head-gear.*
couvre-feu = **cover-fire** = *curfew*

creux = *hollow.*
avoir un petit creux = **to have a little hollow** = *to be hungry*

cri = *cry.*
le dernier cri = **the last cry** = *the latest fashion*

croquer = *to scrunch.*
un croque-mort = **a scrunch-dead** = *an undertaker's mute*

cul = *ass.*
cul-de-jatte = **ass-of-bowl** = *legless cripple*

dame = *lady.*
jeu de dames = **game of ladies** = *draughts*

descendre = *to go down.*
une descente de lit = **a go down of bed** = *a bedside rug*

échelle = *ladder.*
faire la courte échelle = **to make the short scale** = *to give someone a leg up.*
échelle mobile des salaires = **mobile ladder of salaries** = *sliding scale of wages*

empêcher = *to prevent.*
un empêcheur de tourner en rond = **a preventer of turning in round** = *a spoilsport*

emploi = *employment.*
faire double emploi = **to make double employment** = *to be a useless repetition*

enfiler = *to thread.*
s'enfiler un bon repas = **to thread oneself a good meal** = *to tuck into a good dinner*

enregistrer = *to register.*
enregistrer un disque = **to register a record** = *to record*

enseigne = *sign.*
à telle enseigne = **at such a sign** = *the proof being that*

environ = *about.*
habiter dans les environs de Paris = **to live in the abouts of Paris** = *to live in the vicinity of Paris*

épaule = *shoulder.*
épauler quelqu'un = **to shoulder someone** = *to give someone support*

éponge = *sponge.*
passer l'éponge = **to pass the sponge** = *to say no more about*

essuyer = *to wipe.*
essuyer un refus = **to wipe a refusal** = *to meet with a refusal*

face = *face.*
un face-à-main = **a face-to-hand** = *a lorgnette*

faire = *to make.*
bonne à tout faire = **good at all make** = *maid*

famille = *family.*
fils de famille = **son of family** = *youth of good social position*

fatiguer = *to tire.*
fatiguer une salade = **to tire a salad** = *to toss a salad*

faux = *false.*
s'inscrire en faux = **to register in false** = *to dispute the validity.*
faux-fuyant = **false-fleeing** = *subterfuge*

femme = *woman.*
femme de chambre = **woman of bedroom** = *chambermaid*

fer = *iron.*
fer à repasser = **iron to come back** = *(flat) iron.*
tomber les quatre fers en l'air = **to fall the four irons in the air** = *to go sprawling*

feu = *fire.*
faire mourir à petit feu = **to make die at little fire** = *to kill by inches*

fil = *thread.*
c'est cousu de fil blanc = **it is sewn of white thread** = *it's obvious.*
être au bout du fil = **to be at the end of the thread** = *to be on the telephone*

fini = *finished.*
un crétin fini = **a finished jerk** = *a perfect idiot*

fleur = *flower.*
dans la fleur de l'âge = **in the flower of the age** = *in the prime of life*

flic = *cop.*
22, v'là les flics ! = **22, here are the cops!** = *watch out, here come the cops!*

foin = *hay.*
faire un foin terrible = **to make a terrible hay** = *to kick up a row*

fond = *bottom.*
fond de teint = **bottom of complexion** = *make-up.*
mise de fonds = **put of bottoms** = *paid-in capitals*

fort = *strong.*
château-fort = **strong castle** = *fortress.*
j'ai fort à faire = **I have strong to do** = *I have a great deal to do*

foyer = *fireplace.*
verres à double foyer = **glasses at double fireplace** = *bifocal lenses*

frapper = *to strike.*
une petite frappe = **a little strike** = *a hooligan*

fricoter = *to stew.*
qu'est-ce que tu fricotes ? = **what do you stew?** = *what are you up to?*

frotter = *to rub.*
qui s'y frotte s'y pique = **who rubs it, pricks it** = *gather thistles expect prickles*

gaffe = *hook.*
fais gaffe ! = **make hook!** = *look out!*

garni = *furnished.*
choucroute garnie = **furnished sauerkraut** = *sauerkraut with sausages*

gauche = *left.*
passer l'arme à gauche = **to pass the weapon to the left** = *to kick the bucket*

gazer = *to gas.*
ça gaze ? = **does it gas?** = *how are things?*

génie = *genius.*
génie civil = **civil genius** = *engineering*

goutte = *drop.*
je n'y vois goutte = **I don't see drop** = *I can't see at all*

grain = *grain.*
avoir un grain = **to have a grain** = *to be nuts.*
du gros grain = **big grain** = *petersham*

griller = *to grill.*
être grillé = **to be grilled** = *to be found out*

grippe = *flu.*
être grippe-sou = **to be flu-penny** = *to be tight*

gros = *big.*
vendre en gros = **to sell in big** = *to wholesale*

gueule = *face.*
gueule de bois = **face of wood** = *hangover*

grue = *crane.*
faire le pied de grue = **to make the foot of crane** = *to cool one's heels*

haut = *high.*
un haut-le-corps = ***a high-the-body*** = *a sudden start*

idée = *idea.*
avoir des idées bien arrêtées = ***to have well stopped ideas*** = *to be set in one's ways*

impression = *printing.*
j'ai l'impression de vous connaître = ***I have the printing to know you*** = *I have an idea that I know you*

jambe = *leg.*
à toutes jambes = **at all legs** = at top speed

jardinier = *gardener.*
jardinière de légumes = **gardener of vegetables** = macedoine

jaune = *yellow.*
jaune d'œuf = **yellow of egg** = *yolk*

jeu = *game.*
tu as beau jeu de me dire cela = **you have beautiful game to tell me that** = *you could quite easily tell me that*

kiki = *neck.*
c'est parti mon kiki ! = ***it is gone my neck!*** = *here we go!*

là = *there.*
oh là là ! = **oh there there!** = *oh dear!*
là-bas = **there-down** over there

lait = *milk.*
petit lait = **little milk** whey.
frère de lait = **brother of milk** = *foster brother.*
cochon de lait = **pig of milk** = *sucking pig*

lettre = *letter.*
avoir des lettres = **to have letters** = *to be well-read*

lit = *bed.*
enfant d'un autre lit = **child of another bed** = *step-child*

loucher = *to be cross-eyed.*
cette affaire est louche = **this business is cross-eyed** = *this is a shady business*

louer = *to let.*
Dieu soit loué ! = **God be let!** = *Praise be to God!*

loup = *wolf.*
Jean-Loup = **John Wolf** = *Jean-Loup.*
connu comme le loup blanc = **known like the white wolf** = *known to everybody.*
loup de mer = **wolf of sea** = *sea-perch*

maigre = *thin.*
faire maigre = **to make thin** = *to fast*

maison = *house.*
maison d'arrêt = **house of stop** = *prison*

maître = *master.*
maître queux = **master tail** = *chef.*
poutre maîtresse = **beam mistress** = *main beam*

manche = *sleeve.*
manche à balai = **sleeve to broom** = *broomstick*

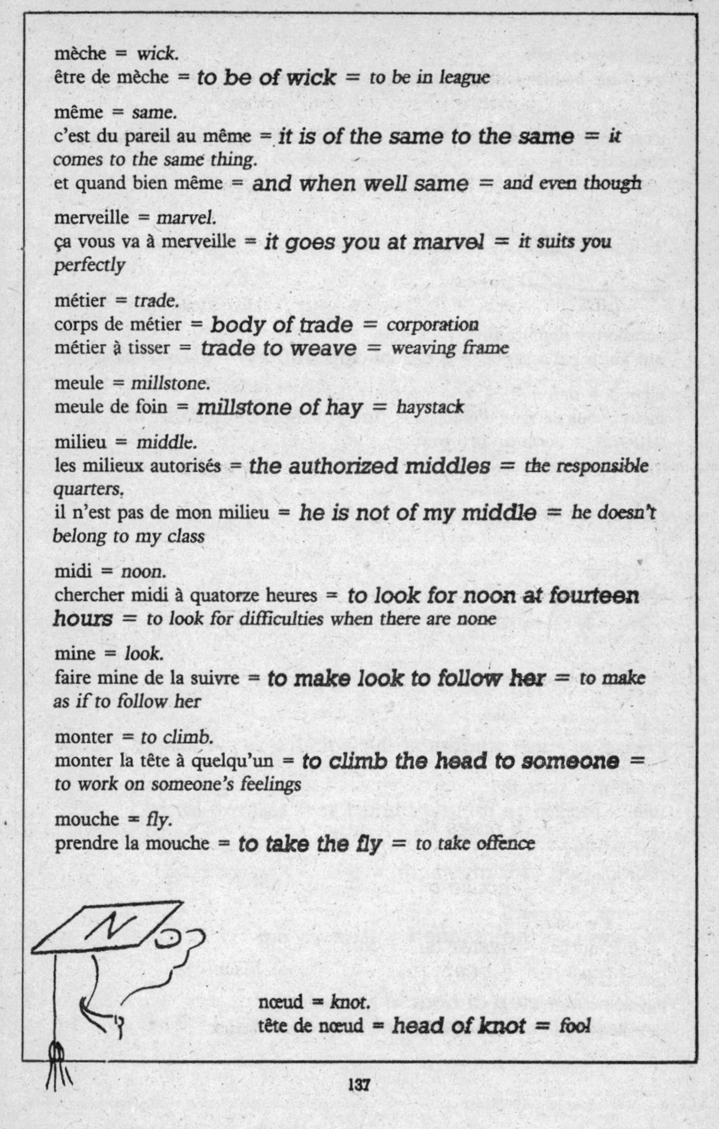

mèche = *wick.*
être de mèche = **to be of wick** = *to be in league*

même = *same.*
c'est du pareil au même = **it is of the same to the same** = *it comes to the same thing.*
et quand bien même = **and when well same** = *and even though*

merveille = *marvel.*
ça vous va à merveille = **it goes you at marvel** = *it suits you perfectly*

métier = *trade.*
corps de métier = **body of trade** = *corporation*
métier à tisser = **trade to weave** = *weaving frame*

meule = *millstone.*
meule de foin = **millstone of hay** = *haystack*

milieu = *middle.*
les milieux autorisés = **the authorized middles** = *the responsible quarters.*
il n'est pas de mon milieu = **he is not of my middle** = *he doesn't belong to my class*

midi = *noon.*
chercher midi à quatorze heures = **to look for noon at fourteen hours** = *to look for difficulties when there are none*

mine = *look.*
faire mine de la suivre = **to make look to follow her** = *to make as if to follow her*

monter = *to climb.*
monter la tête à quelqu'un = **to climb the head to someone** = *to work on someone's feelings*

mouche = *fly.*
prendre la mouche = **to take the fly** = *to take offence*

nœud = *knot.*
tête de nœud = **head of knot** = *fool*

nouille = *noodle.*
c'est une nouille = ***it's a noodle*** = *he's a drip*

numéro = *number.*
c'est un drôle de numéro = ***he's a funny number*** = *he's a strange character*

occasion = *opportunity.*
une voiture d'occasion = **a car of opportunity** = a second-hand car

oignon = *onion.*
mettez-vous en rang d'oignons = **put yourselves in rank of onions** = *form up in a row*

pair = *equal.*
étudiant au pair = **student at the equal** = *au pair student*

papillon = *butterfly.*
minute papillon ! = **minute butterfly!** = *hold your horses!*

part = *share.*
pour ma part = **for my share** = *as far as I am concerned*

parvenir = *to reach.*
les parvenus = **the reached** = *the newly rich*

pas = *step.*
pas-de-porte = **step of door** = *key money.*
pas question ! = **step question!** = *no dice!*

passe = *pass.*
faire un tour de passe-passe = **to make a tower of pass-pass** = *to pull a rabbit out of one's hat*

passer = *to pass.*
passe-partout = **pass-everywhere** = *master-key.*
passe-montagnes = **pass-mountains** = *balaclava helmet.*
j'en passe et des meilleures = ***I am passing some and of the better*** = *and there are some heaps more*

patate = *sweet potato.*
et patati et patata = **and sweet potati and sweet potata** = *and so forth and so on*

pâte = *paste.*
pâte brisée = **broken paste** = *short pastry*

payer = *to pay.*
se payer la figure de quelqu'un = ***to pay oneself the face of someone*** = *to make fun of someone*

peau = *skin.*
avoir quelqu'un dans la peau = **to have somebody in the skin** = *to be infatuated with someone.*
vieille peau = **old skin** = *old hag*

pic = *pick.*
pic-vert = **pick-green** = *woodpecker*

pied = *foot.*
prendre le contre-pied = **to take the counterfoot** = *to take the opposite course.*
pied à coulisse = **foot at backstage** = *calliper-square.*
pied-noir = **black foot** = *Algerian of European origin.*
pied-de-biche = ***foot of doe*** = *bell-pull*

pince = *grip.*
pince-sans-rire = **grip-without-laugh** = *deadpan*

pis = *dug.*
de mal en pis = **from bad to dug** = *from bad to worse.*
pis-aller = **dug go** = *last resource*

plein = *full.*
il est mignon tout plein = ***he's sweet all full*** = *he's very cute*

pli = *fold.*
mise en plis = **pull in folds** = *setting*

point = *point.*
arriver à point nommé = **to arrive at named point** = *to arrive in the nick of time.*
point-virgule = **point-comma** = *semicolon*

pomme = *apple.*
pomme de pin = **apple of pine** = *pine-cone.*
sucer la pomme de quelqu'un = **to suck the apple of someone** = *to kiss someone*

pompe = *pump.*
Château-la-Pompe = **Castle the Pump** = *Adam's ale.*
être reçu en grande pompe = **to be received in big pump** *get the red carpet treatment*

pousser = *to push.*
pousse-pousse = **push-push** = *rickshaw*

prise = *plug.*
prise d'armes = **plug of weapons** = *parade.*
prise de vues = **plug of views** = *taking of photographs*

propre = *clean.*
en main propre = **in clean hand** = *personally.*
c'est du propre = **it is of clean** = *what a mess.*
de son propre chef = **of his clean chief** = *on one's own*

queue = *tail.*
piano à queue = **piano at tail** = *grand piano.*
queue de pie = **tail of magpie** = *tails*

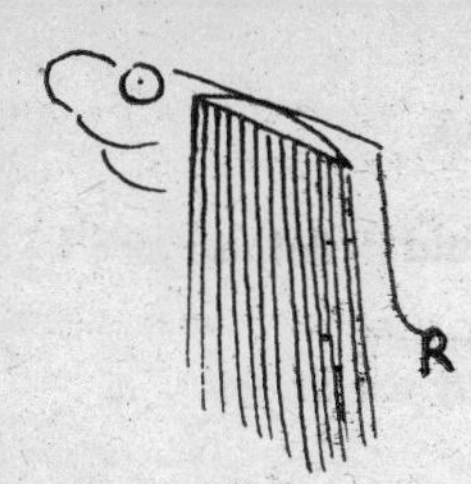

raide = *stiff.*
tomber raide mort = **to fall stiff dead** *to drop dead*

raison = *reason.*
raison sociale = **social reason** = *trade name*

ranger = *to set.*
rangé des voitures = **set of the cars** = *steadied down*

rappel = *recall.*
descendre en rappel = **to go down in recall** = *to rope down*

rayon = *beam.*
rayonner autour de Paris = **to beam around Paris** = *to tour around Paris*

recherche = *search.*
un style recherché = **a searched style** = *an affected style*

réclamer = *to complain.*
faire de la réclame = **to make complain** = *to advertise*

réduire = *to reduce.*
un misérable réduit = **a miserable reduced** = *a wretched hovel*

régime = *diet.*
vitesse de régime = **speed of diet** = *rated speed.*
marié sous le régime de la communauté = **married under the diet of the community** = *married with a settlement based on joint ownership*

rester = *to remain.*
du reste = **of remain** = *moreover.*
les restes du repas = **the remains of the meal** = *the leftovers*

retour = *return.*
retour d'âge = **return of age** = *change of life.*
retour de manivelle = **return of crank** = *back-fire kick*

rire = *laugh.*
histoire de rire = **history of laugh** = *for a joke*

rond = *round.*
il n'a pas un rond = **he doesn't have a round** = *he hasn't got a penny.*
chemin de ronde = **path of round** = *rampart-walk.*
mener rondement les choses = **to lead roundly the things** = *to hustle things on*

rose = *pink.*
rose des vents = **pink of the winds** = *compass-card*

roupie = *rupee.*
c'est de la roupie de sansonnet = **it is rupee of starling** = *it is worthless*

salut = *hello.*
l'Armée du Salut = **the Army of Hello** = *the Salvation Army*

salon = *living room.*
le Salon de l'Automobile = **the Living room of the Automobile** = *the Motor Show*

sang = *blood.*
bon sang mais c'est bien sûr ! = **good blood but it is well sure!** = *but of course, it's obvious!*

saoul = *drunk.*
dormir tout son saoul = **to sleep all one's drunk** = *to have one's sleep out*

sec = *dry.*
sécher un cours = **to dry a course** = *to cut a lecture*

semaine = *week.*
prêter à la petite semaine = **to lend at the small week** = *to lend at high interest*

sens = *sense.*
sens dessus dessous = ***sense above under*** = *upside down.*
dans le sens des aiguilles d'une montre = ***in the sense of the needles of a watch*** = *clockwise*

six = *six.*
à la six quatre deux = ***at the six four two*** = *in a slapdash manner*

sortie = *going out.*
faire une sortie = ***to make a going out*** = *to pitch into*

soupe = *soup.*
il est soupe au lait = ***he's soup at the milk*** = *he flares up easily*

soutenir = *to sustain.*
soutien-gorge = ***sustain-throat*** = *bra*

suite = *follow-up.*
avoir une suite au Hilton = ***to have a follow-up at the Hilton*** = *to have a suite at the Hilton*

tabac = *tobacco.*
les flics l'ont passé à tabac = ***the cops have passed him at tobacco*** = *the cops worked him over*

tache = *stain.*
une tache de vin = ***a stain of wine*** = *a strawberry mark*

tailler = *to cut.*
se tailler = ***to cut oneself*** = *to leave*

tapis = *carpet.*
tapis-brosse = ***carpet-brush*** = *doormat*

tempérament = *constitution.*
payer à tempérament = ***to pay at constitution*** = *to pay by instalments*

temps = *weather.*
le bon vieux temps = **the good old weather** = the good old times.
une mesure à trois temps = **a measure at three weathers** = *triple time*

tenir = *to hold.*
les tenants et les aboutissants = ***the holdings and the reachings*** = *the ins and outs*

tête = *head.*
tête bêche = **head spade** = head to foot.
tête-de-loup = **head-of-wolf** = wall-broom

théâtre = *theatre.*
un coup de théâtre = ***a blow of theatre*** = dramatic turn of events

tirer = *to pull.*
à tire d'aile = **at pull of wing** = flying swiftly away.
un tire-au-flanc = **a pull-at-the-flank** = a goof-off

titre = *title.*
un titre de transport = ***a title of transportation*** = a ticket

tomber = *to fall.*
ça tombe bien ! = ***it falls well!*** = what a coincidence!

tonneau = *barrel.*
un bateau de cent tonneaux = ***a boat of one hundred barrels*** = *a ship of one hundred tons burden*

toucher = *to touche.*
un touche-à-tout = ***a touch-to-everything*** = a meddler
la leçon touche à sa fin = **the lesson touches to its end** = the *course is drawing to a close*

tour = *tower.*
le tour de main = ***the tower of hand*** = the knack

tourner = *to turn.*
il a mal tourné = ***he has badly turned*** = he went to the bad

tout = *all.*
tout-à-l'égout = **all-to-the-sewer** = main-drainage.
le Tout Paris = ***the All Paris*** = the Fashionable Paris

tromper = *to deceive.*
trompe-l'œil = **deceive-the-eye** = eyewash

trouver = *to find.*
si cela se trouve = **if this finds itself** = maybe
Bureau des Objets Trouvés = **Office of the Found Objects** = *Office of the Lost Property*

tuer = *to kill.*
crier à tue-tête = **to shout at kill-head** = *to yell*

tuyau = *pipe.*
j'ai un tuyau = **I have a pipe** = *I am in the know*

usage = *use.*
suivant l'usage = **following the use** = *according to custom*

valoir = *to be worth.*
vaille que vaille = **be worth that be worth** = *come what may*

veine = *vein.*
c'est bien ma veine = **it is well my vein** = *it's just my luck*

vendre = *to sell.*
espèce de vendu ! = **species of sold!** = *you traitor!*

venir = *to come.*
va-et-vient = **go and come** = *backward and forward motion*

ventre = *stomach.*
ventre à terre = **stomach to ground** = *at full speed*

vieux = *old.*
les vieux de la vieille = **the old of the old** = *the veterans*

vinaigre = *vinegar.*
faire vinaigre = **to make vinegar** = *to hurry*

vis = screw.
vis-à-vis = **screw-to-screw** = *opposite*

voie = way.
voies de fait = **ways of fact** = *acts of violence*

voir = *to see.*
voyons voir = **let's see see** = *show it to me*

voix = *voice.*
avoir voix au chapitre = **to have voice to the chapter** = *to have a say in the matter.*
à mi-voix = **at half-voice** = *in a whisper.*
de vive voix = **of life voice** = *by word of mouth*

vouloir = *to want.*
en veux-tu en voilà = **do you want some here is some** = *as much as ever you like.*
en vouloir à quelqu'un = **to want it to someone** = *to owe someone a grudge for something*

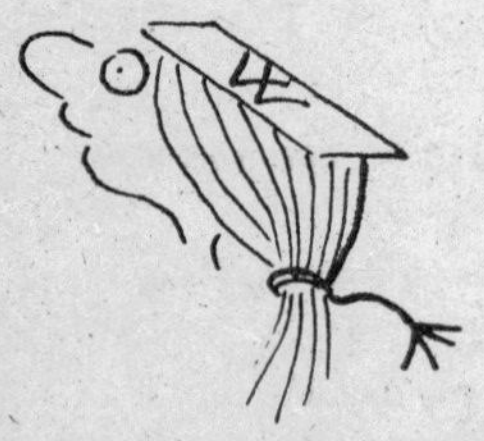

wagon = *waggon.*
wagon-lit = **waggon bed** = *sleeping car*

x = x.
je te l'ai dit x fois = ***I told you x times*** = *I told you one thousand times*

yaourt = *yogurt.*
pot de yaourt = **pot of yogurt** = *small Italian car*

zéro = zero.
les avoir à zéro = **to have them at zero** = *to be scared stiff*

ANGLAIS-FRANÇAIS

apple = pomme.
the apple of one's eye = **la pomme de son œil** = la prunelle de ses yeux

bridge = pont.
to play bridge = **jouer au pont** = jouer au bridge

bucket = seau.
to kick the bucket = **donner un coup de pied au seau** = passer l'arme à gauche

bull = taureau.
Honeywell Bull = **Miel Bien Taureau** = Honeywell Bull

cloud = nuage.
to be on cloud nine = **être sur le neuvième nuage** = être au septième ciel

cobweb = toile d'arraignée.
to blow away the cobwebs = **souffler sur les toiles d'araignée** = se rafraîchir les idées

course = cours.
of course! = **de cours !** = bien sûr !

cow = vache.
when the cows come home = **quand les vaches rentrent à la maison** = la semaine des quatre jeudis

crazy = fou.
Crazy Horse Saloon = **Salon du Cheval Fou** = Crazy Horse Saloon

dog = chien.
bulldog = **bœuf-chien** = bouledogue

egg = œuf.
it's like the curate's egg = **c'est comme l'œuf du vicaire** = il y a à boire et à manger

end = fin.
a dead end = **une fin morte** = une impasse

fur = fourrure.
to make the fur fly = **faire voler la fourrure** = se crêper le chignon

garden = jardin.
a garden party = **une partie de jardin** = une réception en plein air

goat = chèvre.
to get someone's goat = **avoir la chèvre de quelqu'un** = mettre quelqu'un en boule

haddock = aiglefin.
Captain Haddock = **Capitaine Aiglefin** = Capitaine Haddock

jam = confiture.
traffic jam = **confiture de circulation** = embouteillage

matter = matière.
what's the matter? = **qu'est-ce que la matière ?** = qu'est-ce qui se passe ?

medal = médaille.
you're showing your medals = **vous montrez vos médailles** = votre braguette est ouverte

mouth = bouche.
straight from the horse's mouth = **directement de la bouche du cheval** = de source sûre

ninety = quatre-vingt-dix.
say ninety-nine = **dites quatre-vingt-dix-neuf** = dites trente-trois

nut = noix.
a nut case = **un cas de noix** = un cinglé

soap = savon.
no soap! = **pas de savon !** = des clous !

to talk = parler.
talkie walkie = **parlie marchie** = émetteur-récepteur

tea = thé.
it's not my cup of tea = **ce n'est pas ma tasse de thé** = ce n'est pas mon truc

town = ville.
a one-horse town = **une ville à un cheval** = un patelin perdu

way = chemin.
by the way = **par le chemin** = à propos

whistle = sifflet.
to wet one's whistle = **mouiller son sifflet** = se rincer la dalle

L'IMPRESSION ET LE BROCHAGE DE CE LIVRE
ONT ÉTÉ EFFECTUÉS PAR LA SOCIÉTÉ NOUVELLE FIRMIN-DIDOT
POUR LE COMPTE DES ÉDITIONS CARRERE
ACHEVÉ D'IMPRIMER LE 3 JUIN 1988

Imprimé en France
Dépôt légal : juin 1988
N° d'édition : 8492 – N° d'impression : 9524
ISBN 2-86804-536-7